Brasileirinho:

Português para Crianças e Pré-adolescentes

gen
Grupo
Editorial
Nacional

Brasileirinho: Português para Crianças e Pré-adolescentes

CLAUDENIR GONÇALVES

Especialista em Língua Portuguesa
pela Universidade do Estado do Rio de Janeiro (Uerj)

- O autor deste livro e a editora empenharam seus melhores esforços para assegurar que as informações e os procedimentos apresentados no texto estejam em acordo com os padrões aceitos à época da publicação, *e todos os dados foram atualizados pelo autor até a data de fechamento do livro*. Entretanto, tendo em conta a evolução das ciências, as atualizações legislativas, as mudanças regulamentares governamentais e o constante fluxo de novas informações sobre os temas que constam do livro, recomendamos enfaticamente que os leitores consultem sempre outras fontes fidedignas, de modo a se certificarem de que as informações contidas no texto estão corretas e de que não houve alterações nas recomendações ou na legislação regulamentadora.

- O autor e a editora se empenharam para citar adequadamente e dar o devido crédito a todos os detentores de direitos autorais de qualquer material utilizado neste livro, dispondo-se a possíveis acertos posteriores caso, inadvertida e involuntariamente, a identificação de algum deles tenha sido omitida.

- **Atendimento ao cliente: (11) 5080-0751 | faleconosco@grupogen.com.br**

LTC | Livros Técnicos e Científicos Editora Ltda.
Publicado pelo selo **E.P.U. - Editora Pedagógica e Universitária**
Uma editora integrante do GEN | Grupo Editorial Nacional
Travessa do Ouvidor, 11
Rio de Janeiro – RJ – 20040-040
www.grupogen.com.br

- Capa: Design Monnerat
- Ilustrações: Christian Monnerat
- Editoração eletrônica: Design Monnerat
- Ficha catalográfica

CIP-BRASIL. CATALOGAÇÃO NA PUBLICAÇÃO
SINDICATO NACIONAL DOS EDITORES DE LIVROS, RJ

G625b

Gonçalves, Claudenir
Brasileirinho: português para crianças e pré-adolescentes / Claudenir Gonçalves ; ilustração Christian Monnerat. - 1. ed. - [2ª Reimp.] - Rio de Janeiro : E.P.U, 2025.
il. ; 28 cm.

Inclui bibliografia
ISBN 978-85-216-3255-9

1. Língua portuguesa - Literatura infantojuvenil. 2. Literatura infantojuvenil brasileira.
I. Monnerat, Christian. II. Título.

16-37725 CDD: 028.5
CDU: 087.5

Aos velhos, às crianças e aos artistas;
enfim, a todos que fazem arte
e embelezam a vida.

Apresentação

UM CONVITE À LÍNGUA OUTRA

Brasileirinho: Português para crianças e pré-adolescentes é um livro que nasce de um duplo desafio: de ensinar uma língua não conhecida e de ensinar para crianças e jovens pré-adolescentes. Com ele, um mundo se abre nas mãos de um competente professor-autor.

Este é um livro tecido a partir da experiência de ensinar língua na sala de aula; um livro sólido, fruto de anos de prática de ensino de língua. Como condução para aprendizagem, aposta-se no jogo da língua e na língua, isto é, na ludicidade que permite que os papéis do professor e do aluno sejam intercambiados, possibilitando, assim, uma imersão na língua que concilia saber e prazer. São oito densos módulos com textos vários e variados, com diálogos, perguntas, propostas de encenações, fotos, jogos de linguagem, músicas, com materiais que provêm de diferentes lugares como a mídia, a literatura, a tv, a internet, por exemplo, e que trazem para o aprendiz a diversidade linguística e cultural brasileira.

Um dos muitos méritos do livro consiste na forma como seus módulos são encadeados: neles, aparecem mescladas cultura brasileira e cultura, digamos, ocidental, na medida em que não se faz presente apenas em solo brasileiro, e do entrelaçar de ambas derivam saberes que irão permitir ao estudante explorar a língua e com ela brincar, isto é, que irão possibilitar ao aprendiz compreendê-la e dominá-la. Eis alguns exemplos: o primeiro módulo se abre trabalhando a interação, e nele está presente um texto que pertence à cultura ocidental – *Chapeuzinho Vermelho* –, dele se vai para jogos com partes do corpo e convida-se o estudante a conhecer animais brasileiros, montando-se, entre outras atividades, quebra-cabeças e propondo uma cantoria popular. Em outro módulo, precioso, intitulado *Brincadeiras de rua e jogos,* uma das atividades traz nomes e apelidos brasileiros, o que insere o aluno na sonoridade dos nomes aqui correntes; uma sonoridade outra, árdua na medida em que nomes próprios e apelidos constituem uma dificuldade a mais para qualquer estrangeiro à língua. Em lugar de tropeçar nesses sons estranhos, um convite para neles fazer morada e, nesse sentido, nada mais apropriado do que nessas sonoridades adentrar a partir das brincadeiras de rua (e são vários os jogos populares aqui capturados) e assim se familiarizar com algo corriqueiro ao brasileiro e opaco ao estrangeiro. As narrativas brasileiras no módulo seis merecem também destaque na forma como são trabalhadas, por exemplo, com o jogo do adivinha ou o desenho dos suspeitos. Neste, em lugar de se descrever o desenho se desenha o que se lê, permitindo assim a produção visual da composição de personagens a partir da leitura.

Se o livro é producente para aquele que irá aprender a língua, não se pode deixar de acentuar o fato de que se preocupa com o professor que irá trabalhar com ele indicando formas e alternativas de procedimento que irão auxiliá-lo em tal tarefa. Por fim, se não são muitos os livros que ensinam nossa língua e cultura para estrangeiros, menos ainda aqueles que se voltam para um público como aquele aqui focalizado – crianças e jovens pré-adolescentes – e que o faz de forma criativa e produtiva.

Vanise Medeiros
Doutora em Ciências da Linguagem
da Universidade Federal Fluminense (UFF)

Prefácio

> "De fato é dentro da e pela língua que indivíduo e sociedade se determinam mutuamente. O homem sentiu sempre – e os poetas frequentemente cantaram - o poder fundador da linguagem, que instaura uma realidade imaginária, anima as coisas inertes, faz ver o que ainda não existe, traz de volta o que desapareceu."
>
> (Émile Benveniste)

A semente deste trabalho surgiu quando, à época em que estava vivendo na Alemanha, recebi o desafio de ensinar Português para um grupo de meia dúzia de crianças e jovens estrangeiros. Não demorou muito para perceber que as crianças teriam coisas muito mais importantes para fazer do que aprender a reservar um quarto de hotel ou comprar uma passagem aérea. O segundo grande desafio foi quando, já de volta ao Brasil, recebi o convite para ministrar aulas de Português para crianças e jovens estrangeiros cujos pais trabalhariam no Brasil por alguns anos. É preciso dizer que a maioria desses alunos não fica nada feliz de deixar seus melhores amigos, a segurança e a liberdade de suas pequenas cidades e, além do mais, de ter que aprender um idioma o qual não acredita ser útil para o seu futuro.

Procurei, então, produzir material voltado para essa faixa etária e lançar mão de estratégias pedagógicas que atraíssem essas crianças e jovens para a nossa cultura. Venho atualizando, empregando e testando as atividades há muitos anos. Uma das provas de eficiência desse trabalho foram testes simulados com base nos parâmetros europeus para avaliar proficiência em língua estrangeira. Todos os alunos, mesmo sem terminar o livro, obtiveram resultados, com folga, para o nível B1 (veja *Quadro Europeu Comum de Referência para as Línguas).* Isso significa que já estavam interagindo com crianças e adultos brasileiros e se colocavam em condições para uma participação (com apoio e atividades diferenciadas) nas aulas regulares ministradas em português para alunos nativos (brasileiros).

O livro é dividido em oito módulos com tópicos que fazem parte do universo infantojuvenil, como fábulas, lendas, histórias com animais, jogos, brincadeiras, encenações e músicas, visando principalmente ao desenvolvimento de competências e habilidades relacionadas à interação com outras crianças e também com adultos.

Há, em cada módulo, partes dedicadas a uma sólida sistematização gramatical apresentada de forma progressiva, como tabelas de verbos e exercícios, mas a tônica do projeto é conjugar a competência linguística com a correção gramatical a partir de estratégias que lançam mão de atividades lúdicas e interativas.

Para os professores, elaboramos um suplemento com dicas para deixar as atividades bem interativas e com respostas ou sugestões de respostas que tornam o trabalho em sala de aula agradável e efetivo.

O Autor

Agradecimentos

Aos meus pais, por me ensinarem a ver e procurar a beleza nas coisas e pessoas simples.

À Márcia, por me fazer entender o significado mais amplo dos verbetes “amar” e “amor”, de uma maneira que não consta nos dicionários.

À professora Margret Möller (diretora da Escola Alemã Corcovado entre 1979 e 2005) por acreditar em meu trabalho e me orientar profissionalmente.

À professora Vanise Medeiros (Doutora em Ciências da Linguagem - UFF) por contribuir muito para a ampliação do meu conceito sobre língua.

A Lutz Rohrmann (coordenador da Editora Pedagógica e Universitária) por possibilitar a realização deste projeto.

A Emma Eberlein O. F. Lima (escritora de livros de Português para estrangeiros) por ser referência e fonte de inspiração para nós, autores de material didático para estrangeiros.

A Christian e Renata, ilustradores deste livro, por se empenharem tanto no projeto.

Aos colaboradores do GEN, Ricardo Redisch, Carla Nery, Christina Noren, Raquel Barraca, Munich Abreu, Ariadne Moraes, Sergio Pechman, Dr. Francisco e Maria Luísa, por me receberem tão bem e fazerem sugestões e críticas no sentido de aperfeiçoar este livro.

Aos meus alunos brasileiros, alemães e estrangeiros de vários países. Aos brasileirinhos, por me confirmarem que a língua é um organismo vivo que se renova a cada dia; aos alemãezinhos (e estrangeiros de outros países), pela sinceridade e espontaneidade, ensinando-me o que e como devo ensinar.

Sobre o autor

CLAUDENIR JOSÉ GONÇALVES

Com pai paranaense, mãe carioca, avô gaúcho, avó mineira e primos paulistanos e, além de tudo isso, vivendo a infância e a juventude no subúrbio carioca e convivendo com amigos cujos pais vinham de diversas regiões do Nordeste, sinto-me como a personagem da letra de "Paratodos", do excelente Chico Buarque. Com esse *curriculum* não tinha como não observar e admirar os diferentes falares do Brasil e, assim, interessar-me pelo estudo de nossa língua.

Natural da cidade do Rio de Janeiro, formei-me em Letras (Português-Alemão) pela Universidade Federal do Rio de Janeiro (UFRJ) em 1987. Em 2007 concluí o Curso de Especialização em Língua Portuguesa pela Universidade do Estado do Rio de Janeiro (Uerj).

Entre 1977 e 1978, ainda como estudante de Letras, iniciei minhas atividades como Instrutor da Língua Portuguesa para Estrangeiros no Centro de Formação Intercultural – Instituição da CNBB – que recebia missionários leigos e religiosos de diversos países que desenvolviam projetos sociais pelo interior do País. Desde então venho me dedicando ao ensino do Português como Segunda Língua.

Por quatro anos, entre 1979 e 1982, vivi na Alemanha, onde, além de me dedicar ao aprendizado de idiomas (alemão, espanhol e francês) atuei como docente no Bildungszentrum – Centro de Formação da Cidade de Nurembergue coordenando atividades culturais com música para crianças e jovens.

De 1992 a 2022, fui professor na Escola Alemã Corcovado, ensinando Português como língua materna e como língua estrangeira.

Em dezembro de 2023, publiquei o livro *A Andorinha e o Príncipe Feliz*, pela Sagarana editora.

Atualmente, dedico-me à criação de histórias, principalmente infantis; à poesia e a composições musicais.

Material Suplementar

Este livro conta com os seguintes materiais suplementares:

- Áudio das histórias e encenações com leituras dramatizadas.
- Áudio das canções folclóricas em versão cantada e em versão para karaokê.
- Manual do professor: soluções de atividades e dicas para utilização do livro (restrito a docentes).

O acesso ao material suplementar é gratuito. Basta que o leitor se cadastre, faça seu *login* em nosso *site* (www.grupogen.com.br) e, após, clique em Ambiente de aprendizagem.

O acesso ao material suplementar online fica disponível até seis meses após a edição do livro ser retirada do mercado.

Caso haja alguma mudança no sistema ou dificuldade de acesso, entre em contato conosco (gendigital@grupogen.com.br).

Sumário

Conteúdo

MÓDULO 1 Tudo bem?

Competências comunicativas	Gêneros textuais	Vocabulário	Conteúdo gramatical
• Cumprimentar • Apresentar-se • Apresentar sua família • Formular perguntas para conhecer pessoas • Expressar sensação de dor em diferentes partes do corpo • Caracterizar animais • Localizar pessoas, objetos e animais	• Diálogo • Apresentações • Jogos com imagens e textos • Caça-palavras • Texto para encenação e leitura dramatizada (conto de fadas) • Texto informativo sobre animais • Adivinha • Quebra-cabeça • Letra de música	• Comida • Família, parentesco • Lugares frequentados no dia a dia • Pontos turísticos • Partes do corpo • Animais • Material escolar	• Adjetivos pátrios • Numerais de 1 a 12 • Adjetivos básicos • Pronomes pessoais e possessivos no singular • Advérbios de lugar • Verbos regulares com terminações em *ar*, *er* e *ir* no presente • Frases afirmativas, negativas e interrogativas

MÓDULO 2 Todo dia

Competências comunicativas	Gêneros textuais	Vocabulário	Conteúdo gramatical
• Falar de suas atividades rotineiras • Falar de suas preferências • Perguntar sobre hábitos e preferências de outras pessoas • Falar sobre lazer e afazeres domésticos • Convidar pessoas para sair • Quantificar objetos e animais • Recontar histórias	• Jogo de combinar figuras e frases • Texto narrativo • Diálogo • Caça-palavras • Convite • Agenda • Texto para encenação ou leitura dramatizada (conto de fadas) • Quebra-cabeça • Letra de música	• Higiene pessoal • Lazer • Animais • Cores • Brinquedos • Dias da semana • Talher e louça • Atividades domésticas • Países	• Verbos regulares e irregulares no presente • Frases interrogativas • Advérbios de tempo • Antônimos • Preposições e artigos em contração • Numerais de 0 a 20 • Adjetivos masculinos e femininos • Verbos no imperativo (singular)

MÓDULO 3 O que vamos fazer hoje?

Competências comunicativas	Gêneros textuais	Vocabulário	Conteúdo gramatical
• Seguir instruções de um jogo • Comunicar-se numa partida de futebol • Contar sobre um passeio • Recontar histórias • Comentar sobre vestuário masculino e feminino • Falar de algo que está acontecendo • Descrever disposição de móveis num cômodo	• Texto narrativo • Texto instrucional • Jogo (futebol) • Texto narrativo • Adivinha • Jogo (vestir personagens) • Poema (fábula) • Entrevista • Caça-palavras • Quebra-cabeça • Letra de música	• Futebol • Animais • Cômodos • Vestuário masculino e feminino • Móveis e outros objetos domésticos • Comida	• Expressões interrogativas • Verbos regulares e irregulares no imperativo • Interpretação de texto • Verbos regulares e irregulares no presente e no pretérito perfeito • Adjetivo comparativo • Gerúndio • Pronomes pessoais e possessivos no singular e no plural • Numerais de 10 a 100 • Adjetivos

MÓDULO 4 Brincadeiras de rua e jogos

Competências comunicativas	Gêneros textuais	Vocabulário	Conteúdo gramatical
• Combinar uma brincadeira, um passeio • Participar de uma brincadeira de rua • Recontar histórias • Escrever carta, e-mail • Conhecer e pronunciar nomes e apelidos brasileiros • Quantificar pessoas e objetos • Dizer o que fazem diferentes profissionais • Falar de suas atividades diárias • Dizer o que fez num dia anterior • Dizer o que costumava fazer (rotineiramente) • Contar sobre a vida de pessoas conhecidas e de celebridades • Formular questões sobre histórias e acontecimentos	• Texto narrativo • Caça-palavras • Texto instrucional sobre brincadeira de rua • E-mail, carta • Parlenda • Anedota • Biografia • Texto para encenação e leitura dramatizada (conto de fadas) • Quebra-cabeça • Letra de música	• Piquenique, fogueira • Nomes e apelidos • Brincadeiras de rua • Dias da semana • Veículos e imóveis de luxo • Lojas e lugares frequentados no dia a dia • Profissões • Esportes	• Verbos irregulares no presente • Expressões e frases interrogativas • Verbos irregulares no pretérito perfeito • Verbos *cair* e *sair* no presente e no pretérito perfeito • Numerais até milhões • Numerais por extenso • Verbos regulares e irregulares no presente, no pretérito perfeito e no pretérito imperfeito (conjugação e emprego contextualizado)

MÓDULO 5 Histórias e opiniões?

Competências comunicativas	Gêneros textuais	Vocabulário	Conteúdo gramatical
• Utilizar expressões idiomáticas • Emitir opinião • Pesquisar na internet • Falar de seu sonho de consumo • Escrever carta • Contar histórias • Comparar versões de contos de fadas • Fazer solicitações, usando o imperativo • Criar história a partir de estrutura trabalhada • Comparar a vida na floresta com a vida na cidade, usando o presente e o pretérito imperfeito • Brincar com estrutura de histórias para criar histórias engraçadas ou sem sentido • Usar de maneira contextualizada várias formas verbais, como o imperativo, o pretérito imperfeito, o pretérito mais-que-perfeito, futuro do presente e futuro do pretérito • Entrevistar pessoas conhecidas	• Texto para encenação e leitura dramatizada (conto de fadas) • Relação (de objetos de consumo) • Carta formal • Entrevista • Texto para encenação e leitura dramatizada (conto de fadas) • Poema (conto de fadas) • Quebra-cabeça • Letra de música	• Gírias e expressões idiomáticas • Objetos antigos e seus correspondentes modernos • Louça e talher • Características físicas e psicológicas • Atividades e utensílios domésticos	• Verbos regulares no pretérito perfeito • Grau do adjetivo (informal) • Verbos irregulares no presente e no pretérito perfeito • Frases afirmativas, negativas e interrogativas • Verbos no pretérito imperfeito simples e composto (formação e emprego) • Verbos no pretérito mais-que-perfeito composto (formação e emprego) • Verbos no futuro do pretérito composto (formação e emprego) • Verbos no futuro simples e composto (formação e emprego) • Adjetivos (emprego)

MÓDULO 6 Encenações e caracterização de personagens

Competências comunicativas	Gêneros textuais	Vocabulário	Conteúdo gramatical
• Descrever pessoas com suas características físicas e psicológicas • Recontar histórias • Interpretar textos • Emitir opinião • Fazer solicitações, usando o imperativo • Criar frases condicionais • Criar história a partir de estrutura trabalhada	• Texto para encenação e leitura dramatizada (conto) • Jogo de adivinha para desenhar • Texto narrativo • Jogo de adivinha • Quebra-cabeça • Letra de música	• Características físicas e psicológicas • Comida • Animais • Instrumentos musicais	• Adjetivos e grau dos adjetivos • Discurso direto e indireto • Verbos correspondentes no discurso direto e indireto (presente e imperfeito; pretérito perfeito e mais-que-perfeito; futuro simples e futuro do pretérito) • Imperativo (formal e informal) • Imperfeito do subjuntivo e futuro do pretérito em frases condicionais • Antônimos

MÓDULO 7 Histórias, estórias e aventuras luso-brasileiras

Competências comunicativas	Gêneros textuais	Vocabulário	Conteúdo gramatical
• Discutir sobre a história do Brasil e de Portugal • Relacionar nomes de países, de nacionalidades e de línguas • Pesquisar sobre países lusófonos • Escrever e falar de seu próprio país • Recontar histórias • Criar notícias • Argumentar • Fazer apresentações de temas pesquisados	• Texto informativo • Forca (jogo) • Texto para encenação e leitura dramatizada • Texto para leitura dramatizada • Notícia de jornal • Adivinha • Receita • Texto narrativo (lenda) • Quebra-cabeça • Letra de música	• Acidentes geográficos • Navegação • Países e nacionalidades • Objetos usados pelos índios • Ingredientes • Pontos cardeais • Fauna brasileira	• Adjetivos pátrios • Formação de palavras • Imperfeito do subjuntivo e futuro do pretérito em frases condicionais • Verbos irregulares no pretérito perfeito • Futuro do subjuntivo (formação e emprego) • Verbos no presente do subjuntivo (formação e emprego depois de determinadas expressões)

MÓDULO 8 Lendas do Brasil. São Francisco, o rio e o santo

Competências comunicativas	Gêneros textuais	Vocabulário	Conteúdo gramatical
• Brincar com clichês que caracterizam brasileiros de diferentes regiões • Usar gírias, expressões idiomáticas e sotaques de diferentes regiões do Brasil • Opinar sobre atitudes polêmicas • Ordenar partes de histórias • Orientar-se em um local desconhecido • Escrever e falar sobre diferentes regiões do Brasil • Reconhecer diferentes sotaques do Brasil • Criar histórias com base no folclore brasileiro • Usar expressões idiomáticas • Criar histórias a partir de dados de fábulas	• Texto para encenação e leitura dramatizada • Texto narrativo • Texto para encenação e leitura dramatizada (lenda) • Trava-línguas • Texto para encenação e leitura dramatizada (lenda) • Texto informativo • Texto para encenação e leitura dramatizada (fábula) • Texto narrativo • Palavras-cruzadas • Jogo da velha • Poema • Quebra-cabeça • Letra de música	• Características físicas e psicológicas • Gírias e expressões idiomáticas • Profissões • Árvores frutíferas • Regiões e estados brasileiros • Personagens do folclore brasileiro • Animais	• Adjetivos pátrios • Formação de palavras • Semântica • Verbos regulares e irregulares no presente do subjuntivo (formação e emprego depois de determinadas expressões)

Brasileirinho:
Português para Crianças e Pré-adolescentes

Tudo bem?

1. Diálogo 1

Carl: — Oi, menina! Como é seu nome?

Luísa: — Meu nome é Luísa, e o seu?

Carl: — Meu nome é Carl.

Luísa: — Você é brasileiro?

Carl: — Não, eu sou alemão.

Luísa: — De que cidade você é?

Carl: — Eu sou de Berlim, e você?

Luísa: — Eu sou do Rio de Janeiro.

2. Complete.

— Oi, menino! ____________ é seu nome?
— Meu nome ____________ Carl.
— Você é ________________ ?
— Não, eu __________ alemão.
— De que ____________ você é?
— Eu ____________ de Berlim.

3. Diálogo 2

— Oi, Carl! Tudo bem?
— Tudo bem.
— Onde você mora?
— Eu moro em Ipanema, e você?
— Eu moro no Leblon.
— Quantos anos você tem?
— Eu tenho 12 (doze) anos.
— Onde você estuda?
— Eu estudo na Escola Suíça.

NUMERAIS

0	zero
1	um
2	dois
3	três
4	quatro
5	cinco
6	seis
7	sete
8	oito
9	nove
10	dez
11	onze
12	doze

4. Combine as colunas.

1. Quantos anos você tem?
2. Onde você mora?
3. Tudo bem?
4. Como você se chama?
5. Onde você estuda?
6. De onde você é?
7. Você é brasileira?
8. Você é brasileiro?

( ) Tudo.
( ) Não, sou alemão.
( ) Eu tenho 11 (onze) anos.
( ) Na Escola Americana.
( ) Carlos.
( ) Não, sou alemã.
( ) De Hannover.
( ) Em Ipanema.

Pronomes	Verbos (-ar)	Ser	Ter
Eu	O	Sou	Tenho
Você	A	É	Tem
Ele/Ela	A	É	Tem

5. Entreviste seu/sua colega. (Em dupla)

Nome: ______________________ Idade: ______________________
País: ______________________ Bairro: ______________________
Cidade: ______________________ Escola: ______________________

6. Apresente seu colega para a turma. (Em dupla)

EXEMPLO: O nome do meu colega é João. Ele tem 10 anos e é de Angola. Mora no Leblon, na cidade do Rio de Janeiro, e estuda na Escola Americana.

O nome do meu/da minha colega é...

7. Observe as imagens.

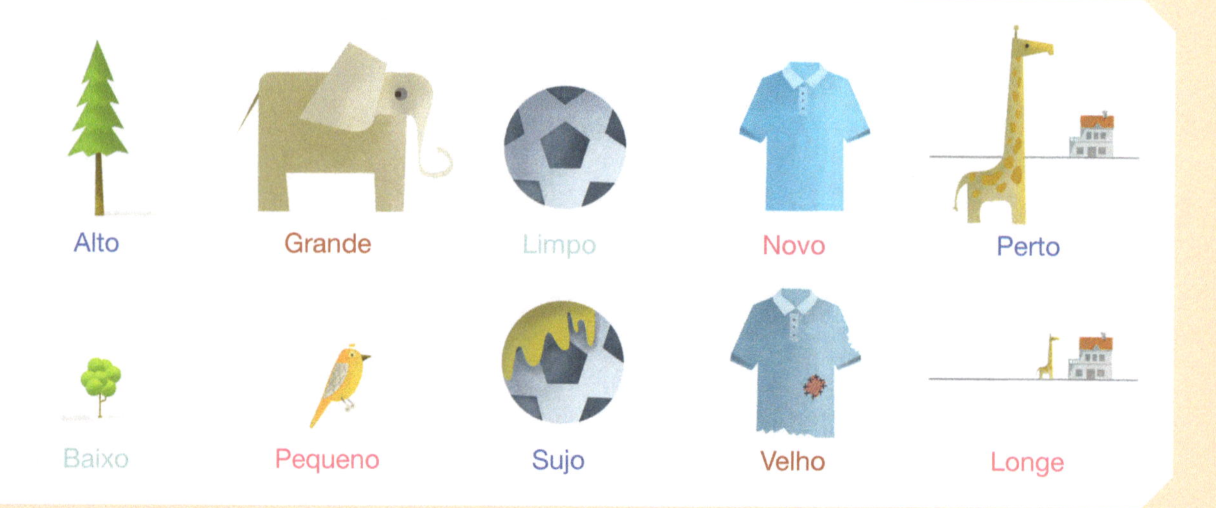

7.1. Conte sobre você e sua família. (Por escrito)

1. Meu pai se chama ____________________ .
   Ele é ________________ (alto/baixo).
2. Minha mãe se chama ____________________ .
   Ela é ________________ (alta/baixa).
3. Eu moro em ______________________________ .
4. Eu moro em ________ ____________________ (um apartamento/uma casa).
5. Minha casa/Meu apartamento é muito ____________________ (pequena/grande).
6. Eu moro ________________ da escola (perto/longe).
7. Minha cidade é ________________ (suja/limpa).
8. Meus pais têm um carro ________________ (novo/velho).

Pronomes pessoais	**Pronomes possessivos masculinos**	**Pronomes possessivos femininos**
Eu	meu	minha
Você	seu	sua
Ele/Ela	seu	sua

8. Conte sobre seu colega. (Em dupla)

Este é ______________________________ (nome do colega), seu pai se chama ______________________________ e é...

9. Você gosta de pizza? (Oral)

OPINIÕES

Adoro...

Gosto de...

Não gosto de...

Odeio...

Pizza	Café	Suco de laranja	Tomate

OPINIÕES Adoro... Gosto de... Não gosto de... Odeio...

10. Responda a seu colega. (Em grupo)

— Você gosta de pizza?
— Eu adoro pizza/eu gosto de pizza/eu não gosto de pizza/eu odeio pizza.

11. Observe o quadro.

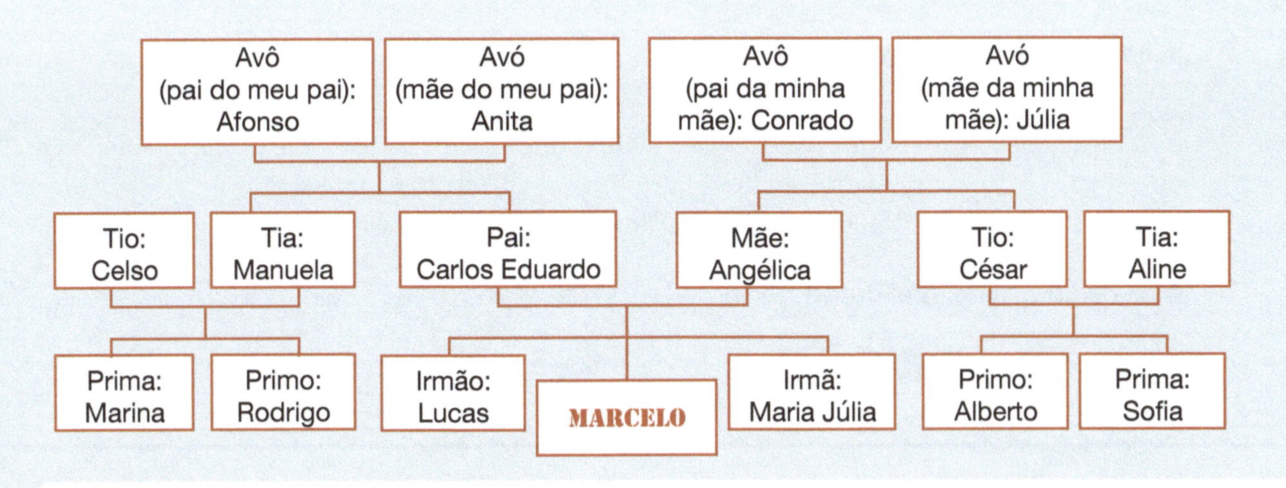

RELAÇÕES:

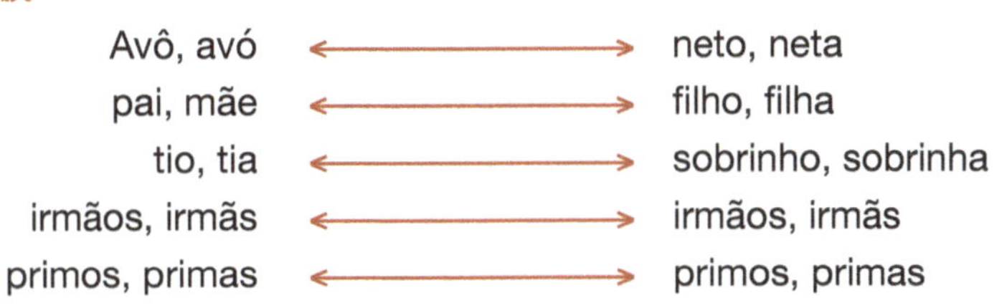

Avô, avó	⟷	neto, neta
pai, mãe	⟷	filho, filha
tio, tia	⟷	sobrinho, sobrinha
irmãos, irmãs	⟷	irmãos, irmãs
primos, primas	⟷	primos, primas

12. **Com base no quadro, apresente toda a sua família. (Por escrito)**

Eu ______________________________.
Meu pai ______________. Minha mãe ______________.
Meu irmão ______________. Minha irmã ______________.
Meu avô (pai do meu pai) ______________________.
Minha avó (mãe de meu pai) ______________________.
Meu avô (pai da minha mãe) ______________________.
Minha avó (mãe da minha mãe) ______________________.

13. **Complete o quadro conforme as relações de parentesco.**

1. O avô brinca com o seu ______________.
2. O pai conversa com a sua ______________.
3. A tia dá um tênis de presente para o seu ______________.
4. Marcelo joga bola com seus ______________ e ______________.
5. O neto dá um beijo na sua ______________.
6. O primo joga a bola para a sua ______________.
7. O sobrinho adora sua ______________.
8. A filha quer sair com a sua ______________.

14. **Faça perguntas sobre a família de seu colega. (Em dupla)**

COMO É O NOME DO SEU AVÔ? QUANTOS ANOS ELE TEM?
ONDE ELE MORA? COM QUEM ELE MORA?

15. Você tem irmãos? (Em grupo)

EU TENHO... EU NÃO TENHO...

1. um irmão.
2. uma irmã.
3. dois irmãos.
4. um irmão e uma irmã.
5. um irmão pequeno.
6. uma irmã mais velha.

16. Diga de outro jeito. (Em dupla)

1. Como você se chama?
2. Onde você mora?
3. Onde você estuda?
4. Quantos anos você tem?
5. Onde você nasceu?
6. Como vai?
7. Você quer um picolé?
8. Eu odeio cebola.

( ) Tudo bem?
( ) Eu não gosto de cebola.
( ) Onde é sua casa?
( ) Qual é o nome de sua escola?
( ) De que cidade você é?
( ) Qual é a sua idade?
( ) Você gostaria de um picolé?
( ) Como é seu nome?

17. Leia uma frase e peça que seu colega responda. (Em grupo)

É verdade! (**V**)

É mentira! (**M**)

1. O macaco adora banana. ( )
2. Eu também adoro banana. ( )
3. Os alemães odeiam salsicha. ( )
4. Eu moro em Copacabana. ( )
5. Eu me chamo Frederik. ( )
6. Eu estudo em Copacabana. ( )
7. Eu adoro ir para a escola. ( )
8. Minha mãe se chama Maria. ( )
9. Meu pai é de Berlim. ( )
10. Eu sou brasileiro. ( )
11. Nós moramos em Ipanema. ( )
12. Nós somos americanos. ( )
13. Eu adoro tomate. ( )
14. Eu odeio praia. ( )
15. Eu tenho um irmão. ( )
16. Nós moramos perto da escola. ( )
17. Meu pai é muito gordo. ( )
18. Nós temos aula de matemática. ( )

18. Caça-palavras. (Em grupo)

Ganha aquele que encontrar as primeiras oito palavras.

N	S	A	L	S	I	C	H	A	O
B	V	E	R	D	A	D	E	D	B
A	M	I	R	M	A	F	L	O	E
N	I	A	L	E	M	A	O	R	R
A	N	B	W	L	A	Q	N	O	L
N	H	G	O	L	E	U	G	U	I
A	A	Z	F	J	Y	I	E	M	M

19. **Aonde você vai? O que você vai fazer lá? (Em grupo)**

Começa o aluno que obtiver o maior número nos dados.

AONDE VOCÊ VAI?

A escola – Eu vou **à** escola.

O supermercado – Eu vou **ao** supermercado.

O QUE VOCÊ VAI FAZER LÁ?

Eu vou estudar.

Eu vou fazer compras.

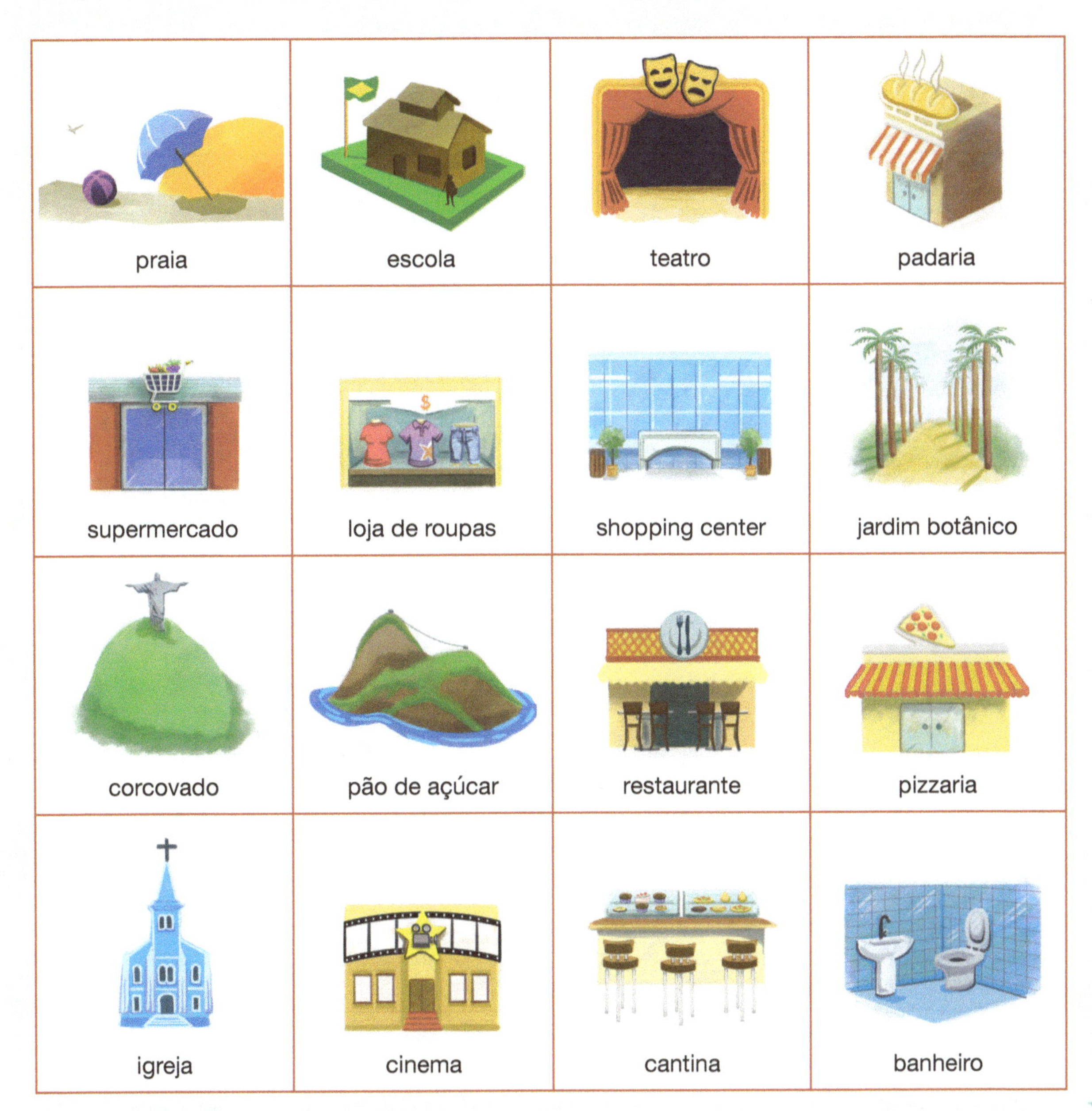

O QUE VOCÊ VAI FAZER LÁ? (SUGESTÕES)

Tomar sol / passear / comer um sanduíche / estudar / rezar /
lavar as mãos / assistir a uma peça de teatro / ver um filme / fazer compras /
comprar uma calça / trocar um tênis / ver as meninas

20. **Combine as colunas.**

a. pão
b. livro
c. aula
d. sol
e. jornal
f. salsicha
g. pai, mãe
h. comida

( ) praia
( ) supermercado
( ) família
( ) padaria
( ) restaurante
( ) livraria
( ) escola
( ) banca de jornal

21. **Complete a frase de seu colega. (Em grupo)**

...MAS...

1. Quero ler...	mas	...não tenho dinheiro.
2. Quero escrever...	mas	...não tenho caneta.
3. Quero ir ao banheiro...	mas	...não sei onde é o supermercado.
4. Quero fazer compras...	mas	...a professora não deixa.
5. Quero brincar...	mas	...não tenho um livro.
6. Quero ver um filme...	mas	...tenho que fazer o dever de casa.

22. **Ligue corretamente.**

1. Não ouço nada 2. Não vejo nada 3. Não digo nada	( )	( )	( )

23. **Vamos encenar a peça "Chapeuzinho Vermelho"?**

CHAPEUZINHO VERMELHO

ESQUETE PARA SER APRESENTADO POR CINCO CRIANÇAS.

Personagens: Chapeuzinho / Lobo Mau / Pai / Vovó / Caçador

Objetos sugeridos: capuz vermelho, cesto (Chapeuzinho), cachimbo, óculos (pai), máscara de lobo e de cachorro (lobo), lençol, chapéu com flores e óculos (vovó) e espadas, tesoura gigante de plástico (caçador).

Observação: não deixe de consultar as dicas para professores no Material Suplementar.

CENA 1 - NA CASA DE CHAPEUZINHO

O lobo passeia pela floresta, cantando a música do Lobo Mau, quando ouve os gritos do pai de Chapeuzinho e fica escondido atrás da janela.

Pai: — Chapeuzinho, Chapeuzinho!
Chapeuzinho: — O que é papai?
Pai: — Sua vovó está doente.
Chapeuzinho: — Coitadinha da vovó.
Pai: — Você vai levar esse bolo de chocolate para ela.
Chapeuzinho (*quer comer um pedaço do bolo*): — Hummm, adoro bolo de chocolate.
Lobo mau: — Eu também adoro bolo de chocolate.
Pai (*aborrecido*): — Chapeuzinho, o bolo é para a sua avó!
Chapeuzinho: — Tá legal, papai, tá legal.
Pai: — Você vai pelo caminho curto, entendeu?
Chapeuzinho: — Tá legal, papai, tá legal.
Pai: — E cuidado com o lobo, Chapeuzinho!
Chapeuzinho: — Tá legal, papai, tá legal.

CENA 2 - NA FLORESTA

Chapeuzinho vai cantando pela floresta.

Lobo mau (*disfarçado de cachorrinho*): — Oi, Chapeuzinho!
Chapeuzinho: — Oi, Cachorrinho.
Lobo mau: — Aonde você vai?
Chapeuzinho: — Eu vou levar esse bolo de chocolate para a minha vovó.
Lobo mau (*com água na boca*): — Humm! Mas esse caminho é perigoso. Tem lobos, tem onças, tem jacarés, tem cobras.
Chapeuzinho: — Caramba, Cachorrinho!
Lobo mau: — O caminho longo é que é bom. Tem flores, tem frutas...
Chapeuzinho: — Então eu vou pelo caminho longo. Obrigada, Cachorrinho.
Lobo mau: — Até logo, Chapeuzinho!
Chapeuzinho: — Até logo, Cachorrinho.

CENA 3 - NA CASA DA VOVÓ

O lobo disfarçado de vovó.

Chapeuzinho: — Toc! Toc! Toc! Vovó! Vovó!
Vovó/lobo: — Entra, Chapeuzinho!
Chapeuzinho: — Vovó, por que essa **cabeça** tão grande?
Vovó/lobo: — Pra **pensar** melhor, Chapeuzinho!

Chapeuzinho: — E por que esse **olho** tão grande?
Vovó/lobo: — Pra te **ver** melhor, Chapeuzinho!
Chapeuzinho: — E por que esse **nariz** tão grande?
Vovó/lobo: — Pra te **cheirar** melhor, Chapeuzinho!
Chapeuzinho: — E por que essa **boca** tão grande?
Vovó/lobo: — Pra te **comer**!

CENA 4 - ENTRA O CAÇADOR

Caçador: — Pou! Pou! Pou!
Lobo: — Para, para, seu Caçador.
Caçador: — Onde está a vovó, seu Cachorro!?
Lobo: — Peraí, eu não sou cachorro não. Eu sou lobo.
Caçador: — Lobo bobo, balofo. Onde está a vovó?
Lobo: — Para, para, seu Caçador! Ela está na minha barriga.

CENA 5 - A TERRÍVEL BRIGA ENTRE O CAÇADOR E O LOBO

Luta de espada em câmera lenta. No quinto golpe, o caçador fura a barriga do lobo.

Caçador/lobo: — Um... Dois... Três... Quatro...
Caçador: — Cinco!
Caçador: — Agora vou abrir a sua barriga com essa tesoura.
Lobo: — Para, para, seu caçador.

EPÍLOGO - A VOVÓ APARECE

A Chapeuzinho sai da barriga do lobo, esfregando o bumbum.

Chapeuzinho: — Caçador bobão, você me acertou com essa espada!
Caçador: — Desculpe! Foi mal!
Vovó (*sai da barriga do lobo, também esfregando o bumbum*):
— Seu Caçador bobão!
Caçador: — Desculpe! Foi mal, vovó!
Vovó (*esfregando as mãos*):
— Onde está o meu bolo de chocolate?
Lobo (*acorda coberto pelo lençol, levantado pela espada, parecendo um fantasma enorme*):
— Chocolate, eu adoro chocolate!
Todos: — Socorro, um lobo fantasma!
(*Todos correm em câmera lenta perseguidos pelo lobo.*)

FIM

24. **Responda com os verbos do quadro.**

VER / OUVIR / ABRAÇAR / PENSAR / COMER / CORRER / CHEIRAR / ESCREVER

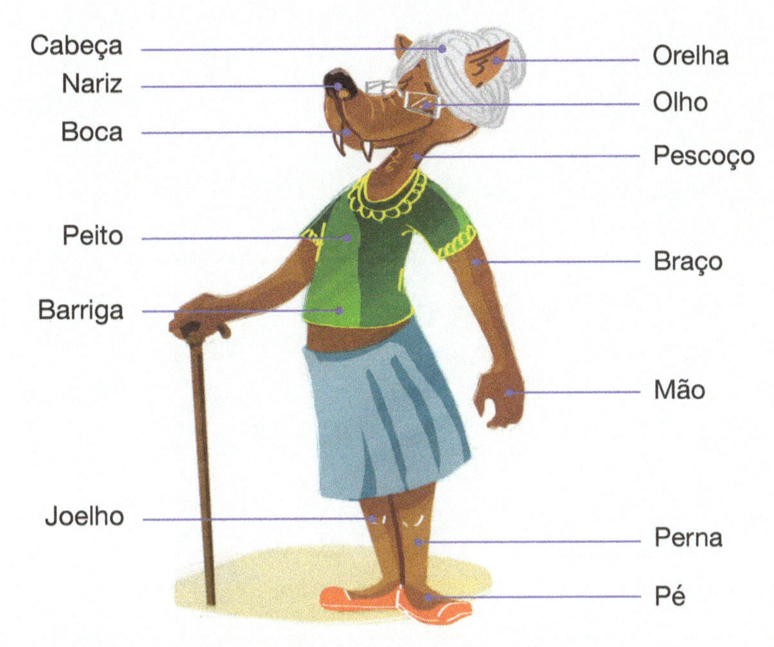

1. Para que uma cabeça tão grande? Para ________________ melhor.
2. Para que olhos tão grandes? Para ________________ melhor.
3. Para que um nariz tão grande? Para ________________ melhor.
4. Para que orelhas tão grandes? Para ________________ melhor.
5. Para que braços tão compridos? Para ________________ melhor.
6. Para que mãos tão grandes? Para ________________ melhor.
7. Para que pernas tão compridas? Para ________________ melhor.
8. Para que uma boca tão grande? Para ________________ melhor.

25. **Entrevistas com personagens de "Chapeuzinho Vermelho". (Em dupla)**

Cada dupla será constituída de um repórter e de uma personagem da peça.
Cada dupla formula perguntas e respostas para depois apresentar para a turma.

EXEMPLO:

Repórter: — Boa-noite, Chapeuzinho.
Chapeuzinho: — Boa-noite.
Repórter: — Onde vocês moram?
Chapeuzinho: — Nós moramos perto da floresta.
...

26. **Recontando a história.**

Conte a história de Chapeuzinho Vermelho com suas palavras.

27. Leia a frase e responda. (Em grupo)

Cada aluno lê uma frase para o outro responder.

É verdade! (V) É mentira! (M)

1. O pai de Chapeuzinho está doente. ( )
2. Chapeuzinho é um menino. ( )
3. Chapeuzinho leva salsichas para a vovó. ( )
4. O lobo adora bolo de chocolate. ( )
5. Chapeuzinho odeia bolo de chocolate. ( )
6. Eu adoro bolo de chocolate. ( )
7. O caminho curto é perigoso. ( )
8. O caminho longo tem lobos, tem onças, tem cobras, tem jacarés. ( )
9. Chapeuzinho vai pelo caminho longo. ( )
10. O lobo come a vovó. ( )
11. O lobo come a Chapeuzinho. ( )
12. O lobo come o caçador. ( )
13. O caçador come o lobo. ( )
14. O caminho longo tem flores, tem frutas. ( )
15. Eu adoro frutas. ( )
16. Chapeuzinho tem uma boca muito grande. ( )

28. Chapeuzinho e vovó vão ao médico

Neste exercício, só quem interpreta o médico pode ler o diálogo a seguir. Os participantes que interpretarem a vovó e o Chapeuzinho devem responder às perguntas do médico, orientando-se apenas pelas imagens.

Médico: — Bom-dia, vovó. O que a senhora tem?
A senhora está com dor de cabeça?

Vovó: — É verdade, estou com dor de cabeça.

Médico: — Oi, Chapeuzinho.
Você também está com dor de cabeça?

Chapeuzinho: — Sim, eu também estou com dor de cabeça.

Médico: — E a senhora, vovó, seu pescoço está doendo?

Vovó: — Sim, doutor. Meu pescoço está doendo muito.

Médico: — E você, Chapeuzinho, seu pescoço
também está doendo?

Chapeuzinho: — Não, meu pescoço não está doendo.

Médico: — E a senhora, vovó, seu joelho está doendo?

Vovó: — É, o meu joelho está doendo.

Médico: — E você, Chapeuzinho, seu joelho também está doendo?

Chapeuzinho: — Não, doutor. O meu joelho não está doendo.

Médico: — E a senhora, vovó, seu braço está doendo?

Vovó: — Sim, doutor. O meu braço está doendo.

Médico: — E você, Chapeuzinho, seu braço também está doendo?

Chapeuzinho: — Não, meu braço não está doendo.

Médico: — E a senhora, vovó, seu peito está doendo?

Vovó: — Sim, meu peito está doendo.

Médico: — E você, Chapeuzinho, seu peito também está doendo?

Chapeuzinho: — Não, doutor. Meu peito não está doendo.

Médico: — E a senhora, vovó, seu bumbum está doendo?

Vovó: — Sim, meu bumbum está doendo.

Médico: — E você, Chapeuzinho, seu bumbum está doendo?

Chapeuzinho: — Sim, meu bumbum também está doendo.

Médico: — E a senhora, vovó, sua barriga está doendo?

Vovó: — Não, minha barriga não está doendo.

Médico: — E você, Chapeuzinho, sua barriga está doendo?

Chapeuzinho: — Está sim, doutor. E minha mão também.

Médico: — E a senhora, vovó, sua mão está doendo?

Vovó: — Não, minha mão não está doendo.

Médico: — E você, Chapeuzinho, sua mão está doendo?

Chapeuzinho: — ____

29. **Pesquisa sobre animais.** LEITURA

O LOBO E OUTROS ANIMAIS BRASILEIROS

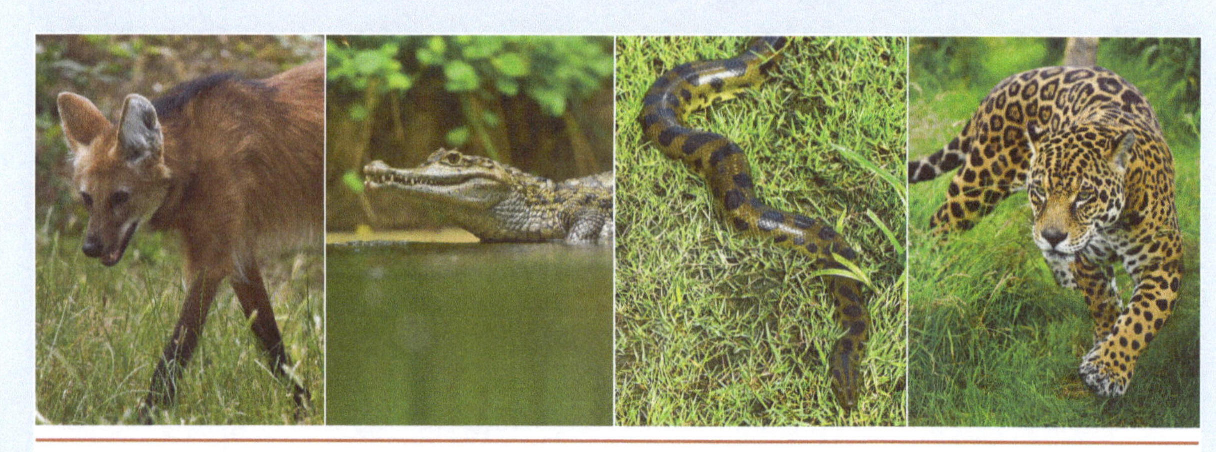

O lobo-guará vive em vários países da América do Sul, como Brasil, Bolívia e Peru. Ele mede até 1 metro e caça roedores e aves.

O jacaré vive no Pantanal (Brasil) e mede até 2 metros. Ele se alimenta de (come) aves, peixes e outros animais.

A sucuri (anaconda) vive no Pantanal (Brasil). Ela mede até 10 metros e se alimenta de (come) peixes, bezerros, e até jacarés.

A onça-pintada mede até 2 metros e também vive no Brasil. Ela come muitos animais, como aves, capivaras e até cavalos.

30. **Formule perguntas sobre o texto para seus colegas. (Em grupo)**
Seu colega deve responder sempre com frases completas.

EXEMPLO:

— Onde vive o lobo-guará? O lobo-guará vive em vários países da América do Sul.

Estudos dos verbos regulares no presente

	-AR	-ER	-IR
Pronomes pessoais	**morar**	**beber**	**abrir**
Eu	mor**o**	beb**o**	abr**o**
Você Ele/Ela	mor**a**	beb**e**	abr**e**
Nós	mor**amos**	beb**emos**	abr**imos**
Vocês Eles/Elas	mor**am**	beb**em**	abr**em**

31. Que verbos estão faltando?

GOSTAR / MERGULHAR / BEBER / ABRIR / ENTENDER / MORAR / TRABALHAR / CONHECER / TOMAR

Eu ______________________ perto de uma praia.
A professora ______________________ de sua casa.
Os professores sempre ______________________ sábado.
Eu e meu amigo ______________________ nas ondas.
Meus pais ______________________ banho de sol.
Eu ______________________ chocolate quente.
O jacaré ______________________ a boca.
Nós ______________________ a porta.
Eu ______________________ boas histórias.
Nós ______________________ tudo.

32. Responda com verbos no presente.

1. Você mora no Rio? *Resposta*: Moro, sim. / Não moro, não.
2. Seu pai trabalha no Rio? *Resposta*: ______________________
3. Vocês estudam no Rio? *Resposta*: ______________________
4. Vocês entendem português? *Resposta*: ______________________
5. Você come queijo? *Resposta*: ______________________
6. Vocês bebem leite? *Resposta*: ______________________
7. Você mora perto da praia? *Resposta*: ______________________
8. Vocês abrem a porta para mim? *Resposta*: ______________________
9. Vocês escrevem para seus amigos? *Resposta*: ______________________
10. A galinha bota ovo? *Resposta*: ______________________

33. Você conhece estes bichos?

	Este é o ______________________ . Ele é muito elegante e rápido. Ele adora comer... ( ) banana ( ) capim ( ) maçã ( ) salsicha
	Este é o ______________________ . Ele é muito engraçado. Ele adora comer... ( ) maçã ( ) capim ( ) laranja ( ) banana

	Esta é a ______________________________ . Ela é muito grande. Mas não é rápida. Ele dá... ( ) suco de laranja ( ) leite Com leite, nós fazemos... ( ) queijo ( ) manteiga ( ) pão ( ) iogurte
	Este é o ______________________________ . Ele é o rei dos animais. Ele é... ( ) elegante ( ) engraçado ( ) perigoso ( ) rápido
	Este é o cachorro. Ele é o melhor amigo do homem. Este cachorro está muito ... ( ) feliz ( ) triste Ele está balançando o... ( ) nariz ( ) as orelhas ( ) olhos ( ) rabo
	Estes são os porcos. Eles são... ( ) elegantes ( ) rápidos ( ) magros ( ) gordos
	Estes são o galo e a galinha. ______ ______________ acorda cedo e adora cantar. ______ ______________ bota ovo.
	Este é o gato. Ele adora dormir. Ele adora comer... ( ) banana ( ) capim ( ) maçã ( ) peixe

34. Que bicho é esse?

Ouça as dicas lidas por seu professor e coloque os números nos animais correspondentes. Ganha o aluno que completar o maior número corretamente.

ISSO É...

DICAS:

1. É grande e dá leite.
2. Arrasta-se pelo chão e é muito perigosa.
3. Tem listras brancas e pretas.
4. Bota ovo.
5. Quer comer a avó da Chapeuzinho.
6. É rápida, perigosa e é do Brasil.
7. Arrasta-se pelo chão, tem uma boca enorme e também é do Brasil.
8. Adora beber leite, adora comer peixe e adora dormir.
9. Acorda muito cedo e adora cantar.
10. É muito rápido e elegante.
11. É sempre muito engraçado e adora banana.
12. É muito perigoso e vive na África.
13. É o melhor amigo do homem.
14. É gordo e vive nas fazendas.
15. Ela é o animal mais alto de todos.

Variação do exercício.
O professor diz o nome de um dos animais; e os alunos, com base no exercício, apresentam suas características.

DESAFIO - FAMÍLIA

35. Consulte a árvore da família no início da lição e responda.

Ganha o aluno que primeiro completar todos os itens.

1. Quem é o irmão do pai de Marcelo?
2. Quem é o avô de Rodrigo?
3. Quem são as sobrinhas de Carlos Eduardo?
4. Quem é o marido da mãe de Angélica?
5. Quem é a irmã da mãe de Marcelo?
6. Quem é o marido de Dona Anita?
7. Quem é a mulher (esposa) de Seu Conrado?
8. Quem é a irmã do pai de Marcelo?

36. Você sabe o que é ...

EM CIMA?
EMBAIXO?
DENTRO?
FORA?

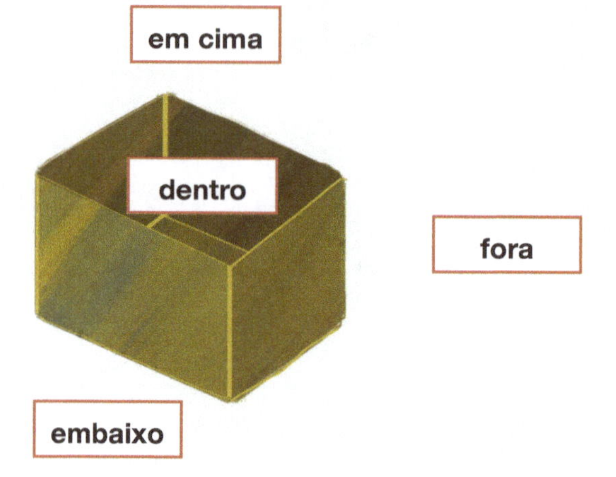

O leão está ***dentro*** da jaula.
Mas a cabeça do leão
está ***fora*** da jaula.

A menina vê os macacos.
Eles estão ***em cima***
da árvore.

Você vê o gato?
Ele está ***embaixo***
da mesa.

Onde está o livro?
Resposta: ____________
____________ .

Onde estão os brinquedos?
Resposta: ____________
____________.

— Os tigres estão *dentro* da jaula?
Não. Eles ____________________ .

— O peixe pode viver *fora* da água? — Não. O ______________________.	— O cachorro está *em cima* da mesa? — Não, ele ______________ ______________________.
— Onde estão Carlos e Rita? — Eles ______________ ______________________.	— Onde estão os bonecos? — Eles ______________ ______________________.
— Onde estão os lápis? — Eles ______________ ______________________.	— Onde está a mochila? — Ela ______________ ______________________.

37. Comparação de quadros. (Em dupla)

Cada aluno da dupla deve tapar um dos quadros, de forma que cada um visualize um quadro diferente e comece a compará-los.

EXEMPLO:

— Na minha sala, tem duas canetas embaixo da mesa.

— Na minha sala, as duas canetas estão em cima da mesa.

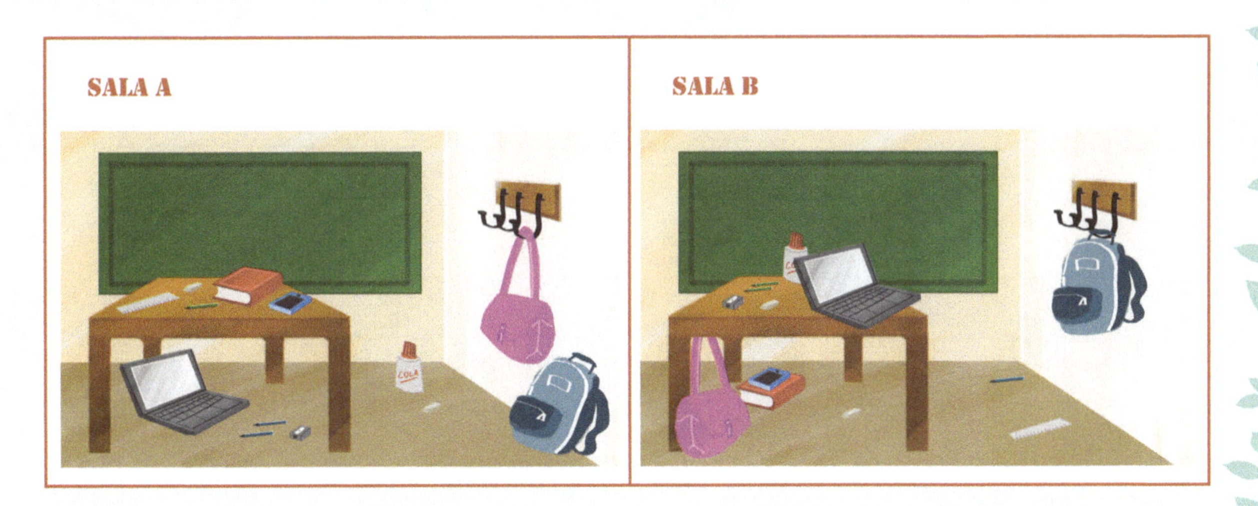

38. **Quebra-cabeça.**

No final do livro, encontram-se as peças correspondentes ao quebra-cabeça de cada módulo.

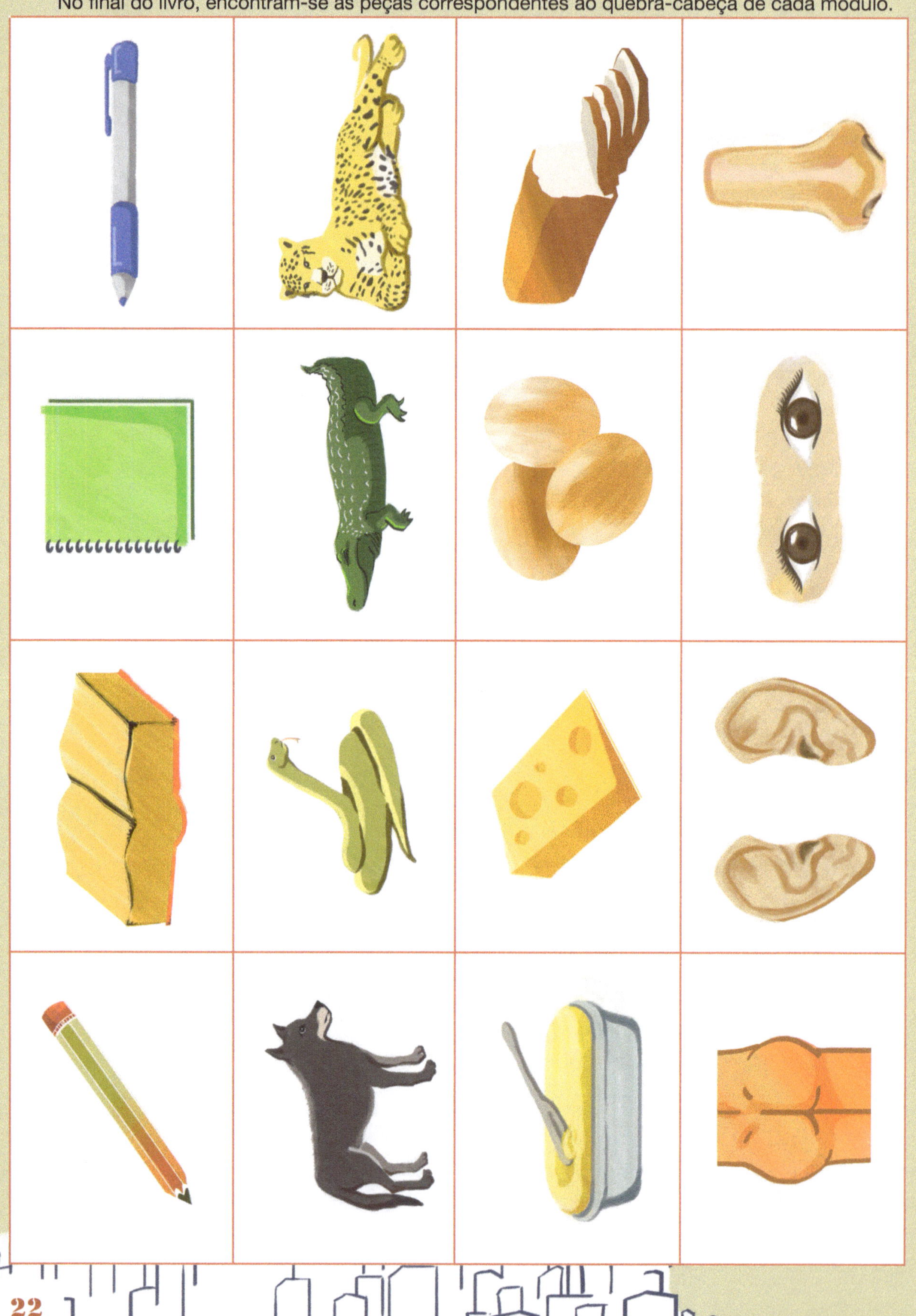

39. **Que adjetivos podemos usar para os seres abaixo?**

O adjetivo pode ser repetido, desde que seja adequado. Vence o participante que usar dois adjetivos para cada item. Quando necessário, passe-o para o feminino.

perigoso – limpo – gostoso – bonito – sujo – alto – gordo – quente – branco – tranquilo – confortável – salgado – rápido – engraçado – silencioso – doente				
MENINO	**PRAIA**	**PIZZA**	**LOBO**	**CASA**
___	___	___	___	___
___	___	___	___	___
___	___	___	___	___
___	___	___	___	___
___	___	___	___	___

40. **Música.**

Em uma roda, cada aluno sugere um nome para usar na música.

A CANOA VIROU

A canoa virou
Pois deixaram virar
Foi por causa de **Maria**
Que não soube remar

Se eu fosse um peixinho
E soubesse nadar
Eu tirava **Maria**
Do fundo do mar

→ Dicas para utilização do livro
(Ver Manual do Professor)

Todo dia

Vamos saber o que Leonardo faz todo dia?

PREPARAÇÃO

Na página seguinte, você vai encontrar espaços para montar uma história sobre o dia a dia de Leonardo.

Na última página deste módulo, você vai encontrar os quadros com figuras e quadros com textos para recortar.

Então, recorte os quadros com as imagens e os quadros com os textos da história nas linhas pontilhadas. Quando todos os participantes estiverem prontos, o jogo começa.

COMO JOGAR

Primeiro, todos devem colocar as imagens (sem colar ainda) na ordem correta.

Depois, todos devem colocar os quadros com os textos de acordo com as imagens.

Ganha o primeiro que ordenar corretamente as figuras e, em seguida, os textos correspondentes.

É possível haver alguma variação na sequência, mas o importante é que a história não apresente incoerências.

No fim do jogo, você pode colar ou guardar os quadros em um envelope para jogar outra vez.

1. Ordene sua história. (Cartões para recortar no final do livro)

IMAGENS	IMAGENS	IMAGENS
TEXTOS	TEXTOS	TEXTOS
IMAGENS	IMAGENS	IMAGENS
TEXTOS	TEXTOS	TEXTOS
IMAGENS	IMAGENS	IMAGENS
TEXTOS	TEXTOS	TEXTOS
IMAGENS	IMAGENS	IMAGENS
TEXTOS	TEXTOS	TEXTOS

2. Responda.

1. Como o menino se chama?
Resposta: ____
2. Onde ele mora?
Resposta: ____
3. Quantos anos ele tem?
Resposta: ____
4. Onde ele estuda?
Resposta: ____
5. A que horas ele acorda?
Resposta: ____
6. O que ele faz de manhã?
Resposta: ____
7. Como ele vai para a escola?
Resposta: ____
8. A que horas a escola começa?
Resposta: ____
9. Leo gosta de ler?
Resposta: ____
10. O que ele bebe antes de dormir?
Resposta: ____

Estudos dos verbos regulares no presente			
Pronomes pessoais	**MorAR**	**ComER**	**DiscutIR**
Eu	___o	___o	___o
Você Ele Ela	___a	___e	___e

Estudos dos verbos irregulares no presente					
Pronomes pessoais	**Ter**	**Ler**	**Fazer**	**Dormir**	**Ir**
Eu	tenho	leio	faço	durmo	vou
Você Ele Ela	tem	lê	faz	dorme	vai

3. Entrevistas

1. E como é o seu dia a dia? (Em trio)
(*Dica*: O exercício em trio pode ser feito de forma que o participante A entreviste o participante B, o participante B entreviste o participante C e o participante C entreviste o participante A.)

EXPRESSÕES INTERROGATIVAS:
COMO...? ONDE...? QUANTOS...? QUANDO...? A QUE HORAS...? O QUE...?

2. Com base nos verbos e nas expressões interrogativas, elabore um questionário de, no mínimo, dez perguntas para entrevistar seu colega.
EXEMPLO: 1. Como é seu nome?

3. Conte sobre o dia a dia de seu colega para a turma.
EXEMPLO: (nome do colega) ... tem ... anos e mora em ...

4. (Para casa) Use o questionário para entrevistar outras pessoas que falem português. Depois, fale sobre o dia a dia dessa pessoa para a turma.

5. Conte agora sobre você.
Eu...

4. Faça as perguntas.

Você está em uma festa. A música está muito alta. A pessoa fala, mas você precisa perguntar de novo.

EXEMPLO:

1. Meu nome é Catarina.
   O quê? Como é seu nome? Meu nome é Catarina.
2. Eu moro no Leblon.
   Quê? ____ ?
3. Eu tenho 12 anos.
   O que você disse? ____ ?
4. Não, eu sou brasileira.
   Hein? ____ ?
5. Não, eu estudo em Botafogo.
   Como? ____ ?
6. Eu acordo às seis e meia.
   Hein? ____ ?
7. Minha escola começa às sete e meia.
   O que você disse? ____ ?
8. Amanhã, eu vou à praia.
   Hein? ____ ?
9. Eu tenho dois irmãos.
   Quê? ____ ?

5. **Um aluno pergunta ao colega: "Você gosta de comer pipoca?" O colega responde (de acordo com a tabela) e faz a pergunta seguinte ao próximo colega.**

OPINIÕES

Adoro...	Gosto de...	Não gosto de...	Odeio...

EXEMPLO:

— Você gosta de comer pipoca?

— Eu adoro comer pipoca.

Comer pipoca	Fazer compras	Estudar matemática	Nadar na piscina
Beber suco de frutas	Cozinhar	Ler	Correr
Tomar banho	Lavar roupa	Telefonar para amigos	Jogar bola
Dormir	Discutir sobre futebol	Jogar no computador	Colorir desenhos

Estudos dos verbos regulares no presente			
Pronomes pessoais	**TomAR**	**EscrevER**	**DiscutIR**
Eu	___o	___o	___o
Você Ele Ela	___a	___e	___e
Nós	___amos	___emos	___imos
Vocês Eles Elas	___am	___em	___em

Aplicar a conjugação acima aos verbos do exercício anterior.

6. Que verbos estão faltando?

Eu ____________________ banho frio.
Nós ____________________ nosso café da manhã e vamos para a escola.
Meus pais ____________________ café.
Eu e meu amigo ____________________ sobre futebol na hora do recreio.
Meus pais ____________________ banho de sol.
Eu ____________________ chocolate quente.
Eu ____________________ bola à tarde, depois da escola.
Sábado, nós ____________________ até tarde.
Minha mãe ____________________ roupa todo dia.
Os professores ____________________ as lições no quadro.

7. Responda com verbos no presente.

Você também cozinha? *Resposta*: Cozinho, sim. /Não cozinho, não.
Seu pai também gosta de futebol? *Resposta*: ________________________________
Vocês nadam na praia? *Resposta*: ________________________________
Vocês entendem português? *Resposta*: ________________________________
Você come feijão? *Resposta*: ________________________________
Vocês telefonam para a Alemanha? *Resposta*: ________________________________
Você mora perto da escola? *Resposta*: ________________________________
Vocês discutem sobre futebol? *Resposta*: ________________________________

Estudos dos verbos irregulares no presente					
Pronomes pessoais	**Fazer**	**Ler**	**Dormir**	**Ter**	**Ir**
Eu	faço	leio	durmo	tenho	vou
Você Ele Ela	faz	lê	dorme	tem	vai
Nós	fazemos	lemos	dormimos	temos	vamos
Vocês Eles Elas	fazem	leem	dormem	têm	vão

8. Que verbo da tabela podemos usar?

Eu ____________________ compras com meus pais.
Meu pai ____________________ o jornal aos domingos.
Nós ____________________ nosso trabalho de casa e depois vamos jogar bola.
Nós ____________________ na escola.
Meus pais ____________________ cedo, porque acordam cedo.
Eu ____________________ natação às terças e quintas.
Meu pai sempre ____________________ depois do almoço.
Sábado, nós ____________________ até tarde.
Meus amigos da Alemanha adoram ____________________.
Os professores ____________________ nosso trabalho.

9. Sempre... Nunca... Às vezes... (Em grupo)

Ouça as perguntas de seu colega e responda de acordo com a sua situação, usando o seguinte modelo.

EU NUNCA...   ÀS VEZES, EU...   MUITAS VEZES, EU...   EU SEMPRE...

1. Você corta seus cabelos? *Resposta*: Às vezes, eu corto.
2. Você faz compras no supermercado com seus pais?
3. Você vê televisão?
4. Você dorme tarde?
5. Você lê?
6. Você faz os deveres de casa?
7. Você cozinha?
8. Você nada?
9. Você esquia?
10. Você surfa?
11. Você vai ao cinema?
12. Você discute sobre futebol com seus amigos?

AUDIÇÃO DE "SÁBADO DE SOL".

10. Ouça o texto lido por seu professor e depois marque as alternativas corretas.

1. Lucas não vai à escola:

(   ) porque está cansado.
(   ) porque sábado não tem escola.
(   ) porque ele odeia escola.

2. Dona Maria Augusta precisa ficar em casa:
(   ) porque ela está resfriada.
(   ) porque ela recebe visita.
(   ) porque ela precisa fazer compras, lavar roupas e cozinhar.

3. Lucas e seu Antônio vão à praia:
(   ) de bicicleta.
(   ) de carro.
(   ) a pé.

4. Na praia, Lucas come:
(   ) sanduíche natural.
(   ) pipoca.
(   ) cachorro-quente.

5. Na praia, Lucas:
(   ) lê um livro.
(   ) corre, nada e joga bola.
(   ) lava o carro de seu pai.

SÁBADO DE SOL

Hoje é sábado e Lucas não vai à escola. Seu Antônio, pai de Lucas, também não precisa trabalhar. Eles acordam cedo e vão à praia de Ipanema.

Dona Maria Augusta, mãe de Lucas, precisa ficar em casa. Ela precisa fazer compras, lavar roupa e cozinhar.

Seu Antônio e Lucas vão para Ipanema de carro.

O sol está muito forte e Lucas precisa passar o protetor solar. Na praia, os vendedores gritam:

— Olha o sanduíche natural! Sanduíche natural!

— Oh, mate! Mate com limão!

— Olha o picolé! Apenas um real!

Eles vendem bolas, aviõezinhos, batata frita e guaraná.

Na praia, Lucas nada, corre e joga bola com seu pai. Depois, eles comem cachorro-quente e bebem uma coca-cola.

Às onze horas, eles vão para casa. Seu Antônio lava o carro. Lucas está cansado e vai dormir um pouco.

Hoje à noite, ele vai à festa de aniversário de seu melhor amigo. Rafael faz onze anos.

11. Responda.

1. Por que Lucas não precisa ir para a escola?
   Resposta: ____.
2. Como se chamam o pai e a mãe de Lucas?
   Resposta: ____.
3. Por que a Dona Maria Augusta não pode ir à praia?
   Resposta: ____.
4. O que Lucas faz na praia?
   Resposta: ____.
5. A que horas eles vão para casa?
   Resposta: ____.
6. E você, você também gosta de praia? Por quê?
   Resposta: ____.
7. Qual é a melhor praia do Rio? Por quê?
   Resposta: ____.
8. Que outros lugares do Rio você conhece?
   Resposta: ____.

GRAMÁTICA

12. Faça como no modelo.

A. Lucas acorda às seis horas. (cedo – tarde)
Resposta: Lucas acorda **cedo**.

B. Eu acordo às onze horas. (cedo – tarde)
   Resposta: Eu acordo ____________________.
C. Lucas comeu três cachorros-quentes. (muito – pouco)
   Resposta: Ele comeu ____________________.
D. Dona Augusta tem 30 anos. (nova – velha)
   Resposta: Ela é ____________________.
E. A praia de Ipanema é ____________________. (limpa – suja)
F. Eu sou um aluno ____________________. (comportado – bagunceiro)
G. Eu quero beber água. (fome – sede)
   Resposta: Eu estou com ____________________.
H. Os alunos querem comer um sanduíche de queijo. (fome – sede)
   Resposta: Eles estão com ____________________.
I. Minha mãe vai à piscina. (nadar – correr)
   Resposta: Ela vai ____________________.
J. Meus pais vão à festa. (dormir – dançar)
   Resposta: Eles vão ____________________.

Estudos dos verbos irregulares no presente					
Estar		**Ir**		**Ler**	
Eu	Estou	Eu	Vou	Eu	Leio
Você Ele Ela	Está	Você Ele Ela	Vai	Você Ele Ela	Lê
Nós	Estamos	Nós	Vamos	Nós	Lemos
Vocês Eles Elas	Estão	Vocês Eles Elas	Vão	Vocês Eles Elas	Leem

<table>
<tr><th colspan="4">Contração de preposições + artigos</th></tr>
<tr><td colspan="2">Onde você está?
Estar em
Estar no (em + o) num (em + um)
Estar na (em + a) numa (em + uma)</td><td colspan="2">Aonde você vai?
Ir a
Ir ao (a + o) a um
Ir à (a + a) a uma</td></tr>
<tr><td>Eu estou no apartamento.</td><td>Eu estou num apartamento.</td><td>Eu vou ao hotel.</td><td>Eu vou a um hotel.</td></tr>
<tr><td>Eu estou na praia.</td><td>Eu estou numa praia.</td><td>Eu vou à praia.</td><td>Eu vou a uma praia.</td></tr>
</table>

Observe:

Eu estou **em casa**.		Eu vou **pra casa**.	

13.1 Use os verbos, preposições e artigos adequados. (Conversa ao celular)

Leonardo: — Oi, Rodrigo! Onde você ____________________?
Rodrigo: — Eu ____________________ na casa do meu avô.
Leonardo: — Eu, meu primo e minha prima ____________________ ao cinema assistir ao filme "Rio". Você quer ____________________ com a gente?
Rodrigo: — Que maneiro! Mas tenho que pedir à minha mãe. Ela _______________ no trabalho.
Leonardo: — Liga para ela logo. E diz que depois nós ____________________ a uma pizzaria ou a um restaurante.

Logo depois...

Rodrigo: — Alô, mãe? Você não ____________________ no trabalho?
Mãe: — Não, eu ____________________ na rua. Eu ____________________ ao banco pagar uma conta. Fala mais alto.
Rodrigo: — Posso ____________________ ao cinema com Leonardo ver "Rio"? Deixa, mãe! Deixa! Eu tô louco pra ver esse filme.
Mãe: — Tudo bem. Mas só se seu pai deixar também. Liga logo para ele, porque ele ainda _________________________ no escritório e daqui a pouco, ele ____________________ locadora entregar uns vídeos.
Rodrigo: — Valeu, mãe. Você é demais.

13.2 Use preposições e artigos adequados (no, na, ao, à).

1. Eu estou __________ casa do meu avô.
2. Eu, meu primo e minha prima vamos __________ cinema assistir ao filme "Rio".
3. Minha mãe está __________ trabalho.
4. Nós vamos __________ pizzaria ou __________ restaurante.
5. Alô, mãe? Você não está __________ trabalho?

14. Marque a resposta certa.

1. Meu pai lê o jornal.	( ) Ele lê o jornal.	( ) Ela lê o jornal.
2. Minha prima vai ao Corcovado.	( ) Ele vai ao Corcovado.	( ) Ela vai ao Corcovado.
3. Meus pais são alemães.	( ) Elas são alemãs.	( ) Eles são alemães.
4. Anita está com sede e fome.	( ) Ela está com sede e fome.	( ) Ele está com sede e fome.
5. Eu e minha irmã vamos à praia.	( ) Elas vão à praia.	( ) Nós vamos à praia.
6. As professoras são alemãs.	( ) Nós somos alemães.	( ) Elas são alemãs.

15. Caça-palavras.

Ganha o aluno que achar primeiro 10 palavras.

P	A	N	I	V	E	R	S	A	R	I	O
R	V	J	P	C	A	R	R	O	L	Q	F
A	I	O	A	T	R	A	B	A	L	H	O
I	A	R	N	E	E	S	T	A	A	E	F
A	O	N	E	M	E	N	T	I	R	A	A
O	J	A	M	E	U	B	R	A	S	I	L
A	V	I	A	O	Z	I	N	H	O	V	O

16. Um aluno lê a primeira frase e o colega responde e lê para o próximo, e assim por diante.

É verdade! (V) **É mentira!** (M)

1. Lucas não precisa ir à escola sábado e domingo. ( )
2. Eu também não preciso ir à escola sábado e domingo. ( )
3. Meu pai não precisa trabalhar sábado e domingo. ( )
4. Segunda, terça, quarta, quinta e sexta, eu não preciso ir à escola. ( )
5. Segunda, terça, quarta, quinta e sexta, eu vou à praia. ( )
6. Segunda, terça, quarta, quinta e sexta, eu vou para a escola. ( )
7. Eu adoro ir para a escola. ( )
8. Minha mãe faz compras sábado e domingo. ( )

9. Meu pai vende sanduíche natural na praia. ( )
10. Eu sou brasileiro. ( )
11. Nós moramos em Ipanema. ( )
12. Nós somos alemães. ( )
13. Domingo, eu vou à praia. ( )
14. Sábado e domingo, eu vou à escola. ( )
15. Segunda-feira, eu vou à praia de Ipanema. ( )
16. Terça-feira, eu vou ao cinema. ( )
17. Quarta-feira, eu vou ao teatro com minha família. ( )
18. Quinta-feira, nós temos aula de Matemática. ( )

MÚSICA DE ANIVERSÁRIO

Que música é usada em seu país para comemorar seu aniversário?
Vamos ouvir as versões dos países de todos os participantes?

FESTA DE ANIVERSÁRIO

Hoje, Rafael faz onze anos. Ele vai fazer uma festa à noite e convida seus amigos da escola. Na festa, vai ter música para dançar e um grupo de festa vai organizar jogos e brincadeiras. Às sete horas, eles vão cantar “Parabéns” e cortar o bolo.

No fim da festa, Rafael vai dar brindes para todas as crianças: são bichinhos coloridos, bolas e outros brinquedos.

17. Vamos ajudar Rafael a colorir os bichos?

cachorro preto e branco

galinha azul

vaca vermelha

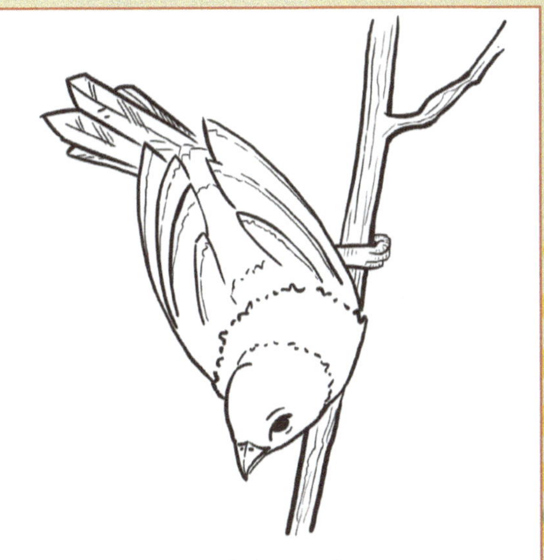

passarinho verde

macaco amarelo

borboleta azul

cavalo branco e marrom

leão laranja

NUMERAIS DE 1 A 20			
1 um	6 seis	11 onze	16 dezesseis
2 dois	7 sete	12 doze	17 dezessete
3 três	8 oito	13 treze	18 dezoito
4 quatro	9 nove	14 quatorze	19 dezenove
5 cinco	10 dez	15 quinze	20 vinte

18. Complete.

Rafael tem vinte convidados. Então ele precisa de vinte brinquedos de cada tipo. Mas faltam alguns brinquedos nos pacotes. Vamos completá-los?

Quantas bolas tem aqui?
Aqui tem __________ bolas.
Quantas bolas faltam?
Faltam __________ bolas.

Quantas bonecas tem aqui?
Aqui tem __________ bonecas.
Quantas bonecas faltam?
Faltam __________ bonecas.

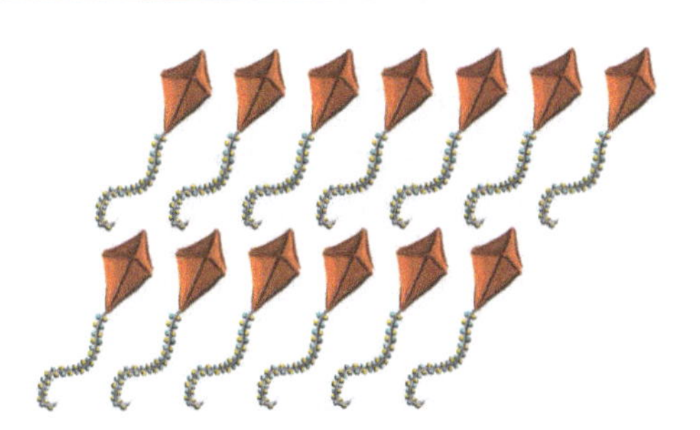

Quantas pipas tem aqui?
Aqui tem __________ pipas.
Quantas pipas faltam?
Faltam __________ pipas.

Quantas bicicletas tem aqui?
Aqui tem __________ bicicletas.
Quantas bicicletas faltam?
Faltam __________ bicicletas.

Quantos gatos tem aqui?
Aqui tem __________ gatos.
Quantos gatos faltam?
Faltam __________ gatos.

Quantos cachorros tem aqui?
Aqui tem __________ cachorros.
Quantas cachorros faltam?
Faltam __________ cachorros.

Quantos cavalos tem aqui? Aqui tem __________ cavalos. Quantos cavalos faltam? Faltam __________ cavalos.	Quantas vacas tem aqui? Aqui tem __________ vacas. Quantas vacas faltam? Faltam __________ vacas.
Quantos peixes tem aqui? Aqui tem __________ peixes. Quantos peixes faltam? Faltam __________ peixes.	Quantos macacos tem aqui? Aqui tem __________ macacos. Quantos macacos faltam? Faltam __________ macacos.

19. Escreva os convites.

Rafael precisa escrever convites para sua festa de aniversário. Vamos ajudá-lo?

Caro __________ , Como você sabe, no dia ___ de __________ eu vou fazer __________ . E eu vou ficar muito feliz com a sua presença. Estou te esperando a partir das __________ . Eu __________ na rua __________ , número __________ . Até logo, ______________________________ Assinatura	__________ Júlia, ______________________________ ______________________________ ______________________________ ______________________________ ______________________________ ______________________________ . Beijos, ______________________________ Assinatura

Agora escreva dois convites para o seu aniversário em português.

______ ____________,	______ ____________,
______________________________	______________________________
______________________________	______________________________
______________________________	______________________________
______________________________	______________________________
_________________________.	_________________________.
______,	______,
______________________________	______________________________
Assinatura	Assinatura

DIAS DA SEMANA

SEGUNDA	TERÇA	QUARTA	QUINTA	SEXTA	SÁBADO	DOMINGO

20. **Qual é seu dia da semana preferido? Por quê?**

AGENDA DE ANA CLÁUDIA

	Dias de semana					Fim de semana	
	Segunda-feira	**Terça-feira**	**Quarta-feira**	**Quinta-feira**	**Sexta-feira**	**Sábado**	**Domingo**
De manhã	escola	escola	escola	escola	escola	praia	sítio
À tarde	inglês trabalho de casa	natação trabalho de casa	inglês trabalho de casa	natação trabalho de casa	dança tv	sítio	sítio
À noite	televisão	televisão	televisão			sítio	

21. **Responda.**

1. Ana estuda de manhã ou à tarde?
   Resposta: Ela ______________________________.
2. E quando ela tem aula de Inglês?
   Resposta: Ela ______________________________.
3. Ana faz seus trabalhos de casa todo dia?
   Resposta: Ela ______________________________.
4. Em que dias da semana ela faz natação?
   Resposta: Ela ______________________________.
5. Ana gosta mais de ver televisão ou de jogar no computador?
   Resposta: Ela ______________________________.
6. Ana faz aula de dança sábado?
   Resposta: Ela ______________________________.
7. O que Ana faz nos fins de semana?
   Resposta: Ela ______________________________.
8. E você, o que você faz nos fins de semana?
   Resposta: Ela ______________________________.

22. **Faça perguntas ao seu colega e preencha sua agenda. Depois mostre a ele para ver se ele está de acordo.**

	Segunda-feira	**Terça-feira**	**Quarta-feira**	**Quinta-feira**	**Sexta-feira**	**Sábado**	**Domingo**
De manhã							
À tarde							
À noite							

23. **Agora, responda sobre você.**

1. Você estuda de manhã ou à tarde?
   Resposta: Eu ______________________________.
2. E quando você tem aula de Inglês?
   Resposta: Eu ______________________________.
3. Você faz seus deveres de casa todo dia?
   Resposta: Eu ______________________________.
4. Você faz algum curso à tarde?
   Resposta: Eu ______________________________.
5. Você gosta mais de ver televisão ou de jogar no computador?
   Resposta: Eu ______________________________.
6. Você pratica algum tipo de esporte durante a semana? Qual?
   Resposta: ______________________________.
7. O que você faz nos fins de semana?
   Resposta: Eu ______________________________.

24. O prédio. (Oral)

EM QUE ANDAR MORA...?

Menina loira
Mulher de minissaia
Moça de cabelos compridos
Senhor de óculos
Casal de músicos
Menino moreno
Homem de barba
Rapaz de camiseta vermelha
Senhora de vestido verde
Cozinheiro

BRANCA DE NEVE

VAMOS ENCENAR A "BRANCA DE NEVE"?

Personagens: Branca de Neve / Rainha malvada
Espelho mágico / Os anões / O príncipe / O caçador / O criado

CENA 1

Rainha: — Espelho, Espelho, oh, Espelho!
Quem é a mulher mais linda desse reino?
Espelho mágico: — Olho pra cima, olho pra baixo,
Olho pra cá, olho pra lá.
E vejo que és a mais bela do lugar.
Rainha: — Ainda bem. Ando me sentindo velha e cansada, e ainda tenho que me preocupar com a "pirralha", filha da primeira esposa do rei.
Espelho mágico: — Coitadinha da menina, Majestade. Sua mãe morreu bem no dia em que ela nasceu.
Rainha: — Criar filha dos outros é muito chato.
Espelho mágico: — Mas ela é criada pela babá.
Rainha: — Tanto faz. Eu tenho muito que fazer: escovar meus cabelos, passar creme na minha pele, pintar minhas unhas, tomar banho de rosas... Pensa que ser linda não dá trabalho?
Espelho mágico: — Mesmo com tantas criadas?
Rainha: — Espelho, vai ver se eu estou lá no bosque!
Espelho mágico: — Já entendi, Majestade, estou indo embora.
Meses depois...
Rainha: — Espelho, Espelho, oh, Espelho!
Quem é a mulher mais linda desse reino?
Espelho mágico: — Olho pra cima, olho pra baixo,
Olho pra cá, olho pra lá.
E vejo que Branca é a mais bela do lugar.
Rainha: — Branca? A mais bela do lugar? Como assim?
Espelho mágico: — Branca vai fazer sete anos amanhã. E já está linda, como sua mãe desejou: cabelos negros como ébano, pele branca como a neve e lábios vermelhos como sangue.
Rainha: — Linda? A "pirralha"? Acho que vou "ter um troço".
Espelho mágico: — Calma, Majestade. Quer uma aguinha com açúcar?
Rainha: — Não. Eu quero é matar essa menina e comer seu fígado e seus pulmões!
Espelho mágico: — Mas Majestade, isso não vai fazê-la mais bonita.
Rainha: — Cala a boca, espelho idiota! Caçador! Caçador! Venha cá imediatamente!

CENA 2

Branca de Neve: — Senhor Caçador, é muita bondade sua me levar pra passear. Aonde vamos?
Caçador: — Não ouviu a rainha dizer? É surpresa. Não posso dizer aonde vamos.
Branca de Neve: — Surpresa de aniversário? Que legal, seu Caçador.
Caçador: — Vamos mais rápido. Quero acabar logo com isso.
Branca de Neve: — Olha que flores lindas! E ali? É uma borboleta. Você gosta de borboletas, seu Caçador?
Caçador: — Não sou caçador de borboletas, menina. Agora, cale o bico!
Branca de Neve: — Estou cansada. Estou com tanta sede...
Não podemos parar um pouquinho no rio?
Caçador: — Tá bem, mas seja rápida. Não temos muito tempo. Logo, logo vai escurecer.
Branca de Neve: — Você é tão bom pra mim.
Caçador: — Pare com isso. Você só faz meu trabalho ficar mais difícil.
Branca de Neve: — Que trabalho, seu Caçador?
Caçador (*puxando um facão*): — Tenho que matar você, ordens da rainha.
Branca de Neve: — Por favor, não faça isso, seu Caçador. Você está me deixando com medo.
Caçador: — Por que você tem que ser tão linda? Tão doce? Tão meiga? E vê se para de chorar!
Branca de Neve: — Tá bem! Tá bem! Mas não me mate! Não me mate!
Caçador: — Eu não consigo mesmo te matar. Então, vai por esse caminho e nunca mais olhe para trás.
Branca de Neve: — Será que vou encontrar alguém para me ajudar?
Caçador (*sozinho*): — Puxa, e o pior é que ela não tem nenhuma chance de sobreviver com tantos animais selvagens na floresta.
Branca de Neve: — Socorro! Alguém! Tá tão escuro. E tem mil olhos malvados me observando. E o que é isso? São árvores ou braços enormes que querem me agarrar? E esses barulhos? Parecem gritos. O que é isso me arranhando? São garras ou pedras pontudas e espinhos? Ai, que medo!

CENA 3

Branca de Neve: — Acho que tem uma casa ali. Estou vendo uma luz. Obrigada, meu Deus.
Que casinha pequena. Quem será que mora aqui? A porta está aberta. Que casa limpinha! E tem sete pratinhos com comida, e sete garfinhos, e sete faquinhas, e sete colherinhas e sete copinhos. Estou morrendo de fome, mas só vou comer um pouquinho de cada prato e beber e um pouquinho de cada copo. E depois vou "tirar uma soneca".
A primeira cama é baixa demais; a segunda é alta demais, a terceira é estreita demais; a quarta é larga demais; a quinta é curta demais; a sexta é longa demais; mas a sétima é perfeita para mim.
Vou me deitar nela. Zzzzzzzzzzzzzzzzzzzzzzzzzzzzzzzzzz!
(*Os sete anões entram em casa.*)
Primeiro anão: — Alguém sentou na minha cadeira.
Segundo anão: — Alguém deu uma mordida no meu pão.
Terceiro anão: — Alguém comeu meu legume.
Quarto anão: — Alguém usou meu garfo.
Quinto anão: — Alguém usou minha colher.
Sexto anão: — Alguém bebeu meu vinho.
Sétimo anão: — Caramba! Tem alguém dormindo na minha cama!

Os sete anões: — Meu Deus! Que menina linda!

Sétimo anão: — Não vamos acordá-la. E eu vou dormir uma hora na cama de cada um de vocês.

Os seis anões: — Tá legal.

Os sete anões: — Zzzzzzzzzzzzzzzzzzzzzzzzzzzzzzzzzzzzzzzzzzzzzzzzzzzzzzzzzzzzzzzzzzzzz!

Na manhã seguinte...

Branca de Neve: — Ai, que susto! Quem são vocês?

Os sete anões: — Nós moramos aqui. E quem é você, que está dormindo na minha cama?

Branca de Neve: — Eu sou Branca de Neve. Minha mãe era uma rainha e morreu no dia em que eu nasci. Meu pai se casou com uma mulher muito invejosa. E quando eu fiz sete anos, ela achou que eu era mais bonita do que ela e então, de vingança, mandou o Caçador me matar.

Os sete anões: — Mas você não morreu?!

Branca de Neve: — O Caçador ficou com pena de mim. Acho que ele matou um porquinho selvagem e levou seus pulmões e seu fígado e disse que eram meus.

Os sete anões: — E a rainha acreditou. E comeu tudo, pensando que assim ficaria tão bonita quanto você.

Branca de Neve: — E agora não tenho família, não tenho casa...

Os sete anões: — Se você quiser, pode viver aqui, mas precisa arrumar a nossa casa, cozinhar, lavar louça, lavar roupa e costurar.

Branca de Neve: — Que bom! Eu adoro arrumar casa!

Os sete anões: — Então está combinado. Agora nós vamos procurar ouro e prata nas montanhas. E você tenha muito cuidado com a sua madrasta malvada.

CENA 4

Rainha: — Espelho, Espelho, oh, Espelho!
Quem é a mulher mais linda desse reino?

Espelho mágico: — Olho pra cima, olho pra baixo,
Olho pra cá, olho pra lá.
E vejo que Branca ainda é a mais bela do lugar.

Rainha: — O quê? Você pirou, Espelho? A Branca está "mortinha da silva".

Espelho mágico: — Estás enganada, Majestade. A linda princesa vive atrás das sete montanhas com os sete anões "maneiros", quer dizer, mineiros.

Rainha: — Eu odeio anões, eu odeio a Branca, eu odeio caçadores, eu odeio todo mundo.

CENA 5

Rainha (*disfarçada de velhinha*): — Toc! Toc! Toc! Abra, bela menina! Tenho lindas cintas que vão fazer você ficar ainda mais linda.

Branca de Neve: — Puxa, a Senhora me assustou, mas é tão simpática. E essas cintas são tão lindas.

Rainha (*disfarçada de velhinha*): — Venha, compre uma. Eu coloco em você.

Branca de Neve: — Você é um amor. Ai, não aperta muito. Estou sem ar. Acho que vou desmaiar.

Rainha (*disfarçada de velhinha*): — Você vai morrer, e eu vou continuar a ser a mulher mais linda do reino.

À noite...

Os sete anões: — Acorda, Branquinha! O que você tem? Acho que é a cinta que está muito apertada. Vamos cortá-la.
Branca de Neve: — Puxa, estava sem ar.
Os sete anões: — Você precisa ter cuidado. A velhinha bondosa era, na verdade, a sua madrasta malvada. Quando a gente sair, você não deve abrir a porta pra ninguém.

CENA 6

Rainha: — Espelho, espelho, oh, espelho!
Quem é a mulher mais linda desse reino?
Espelho mágico: — Olho pra cima, olho pra baixo,
Olho pra cá, olho pra lá.
E vejo que Branca ainda é a mais bela do lugar. Ah! Ah! Ah! Ah! Ah!
Rainha: — Você está rindo de quê? A Branca continua viva?
Espelho mágico: — "Vivinha da silva."
Rainha: — Aqueles baixinhos de novo. Vou usar um pente venenoso.

CENA 7

Rainha (*disfarçada*): — Querida, veja que lindo pente eu tenho pra você pentear seus lindos cabelos negros.
Branca de Neve: — Sinto muito, mas eu não posso abrir a porta pra ninguém.
Rainha disfarçada: — Não quer dar só uma olhadinha?
Branca de Neve: — Puxa, que pente lindo! Espera aí um pouquinho, eu vou abrir.
Rainha disfarçada: — Deixa, eu penteio você.
Branca de Neve: — Oh, estou me sentindo estranha. Acho que vou desmaiar.
Rainha disfarçada: — Eu não acho que você vai desmaiar. Você só vai **morrer**.

CENA 8

À noite...
Os sete anões: — Acorda, Branquinha! Você abriu a porta de novo? Acho que este pente está envenenado. Vamos tirá-lo.
Branca de Neve: — Puxa, onde estou?
Os sete anões: — Na casa dos sete anões. Você precisa ter cuidado. Você não pode abrir a porta pra ninguém, entendeu bem?

CENA 9

Rainha: — Espelho, espelho, oh, espelho!
Quem é a mulher mais linda desse reino?
Espelho mágico: — Olho pra cima, olho pra baixo,
Olho pra cá, olho pra lá.
E vejo que Branca ainda é a mais bela do lugar. Ah! Ah! Ah! Ah! Ah!
Rainha: — Seu espelho velho. Vou quebrar a sua cara.
Espelho mágico: — Preferes uma mentira? E quebrar espelho dá sete anos de azar.
Rainha: — Eu odeio o número sete. E prefiro que você morra, que a Branca de Neve morra, que todo mundo morra!

CENA 10

Rainha (*disfarçada de velhinha*): — As mais deliciosas maçãs, por apenas um real.
Branca de Neve: — Maçãs, maçãs. Eu adoro maçãs. Morro por elas.
Rainha (*disfarçada de velhinha*): — Morre mesmo. Ah! Ah! Ah!
Branca de Neve: — Senhora camponesa, suas maçãs são apetitosas! Vermelhinhas! Hummmmm! Mas não posso abrir a porta de jeito nenhum. Não posso aceitar nada.
Rainha (*disfarçada de velhinha*): — Não precisa ter medo, a maçã não está envenenada. Olha, eu vou comer essa metade branca e lhe dar a metade vermelha.
Branca de Neve: — Hummmm! Que delícia! Arf! Arf! Não consigo respirar.
À noite...
Os sete anões: — Meu Deus, dessa vez a madrasta malvada conseguiu matar a princesa.
O primeiro anão: — O que vamos fazer?
O segundo anão: — Vamos rezar por três dias. E depois vamos enterrá-la.
O terceiro anão: — Enterrá-la, não. Ela é linda demais para ficar na escuridão da terra.
O quarto anão: — Já sei! Vamos fazer um caixão de vidro para que todos possam admirá-la de todos os lados.
O quinto anão: — Isso mesmo! E cada dia da semana (domingo, segunda-feira, terça-feira, quarta-feira, quinta-feira, sexta-feira e sábado) um de nós toma conta do caixão.

CENA 11

Muitos anos depois...
Criado do príncipe: — O que é aquilo em cima da colina? Parece um caixão de vidro.
Príncipe: — Puxa, é uma princesa. É a mulher mais linda que eu já vi na minha vida. Seus cabelos são negros como o ébano; sua pele é branca como a neve e seus lábios são vermelhos como o sangue. Quero levá-la pra mim. Pago o que pedirem por ela.
Os sete anões: — Não está à venda.
Príncipe: — Por favor, não posso viver sem ela. Prometo que vou respeitá-la sempre.
Os sete anões: — Está bem, pode levá-la.
Príncipe: — Criados, carreguem a princesa com todo o cuidado!
Criado: — Oh, desculpe, Alteza. Tropecei nessa raiz.
Os Sete Anões: — Vejam, a Branca de Neve está respirando. Era um pedaço de maçã envenenada que estava em sua garganta. Viva! Ela está viva! Ela está viva!
Branca de Neve: — Oh, meu Deus! Onde estou?
Príncipe: — Está em boas mãos. Eu estou apaixonado por você e quero levá-la para meu castelo e me casar com você. Você aceita?
Branca de Neve: — Aceito. Eu também quero me casar com você.
O sexto Anão: — E o que vai acontecer com a rainha?
O sétimo Anão: — Ela vai à festa de casamento e vai ter que dançar com um sapato em brasa até morrer. E todos, menos a madrasta, vão viver felizes para sempre.

FIM

25. Pergunte.

1. ____?
Ela se chama Branca de Neve.
2. ____?
Porque a mãe de Branca de Neve tinha morrido quando a menina nasceu.
3. ____?
Ela era linda. Tinha os cabelos negros como o ébano, a pele branca como a neve e os lábios vermelhos como sangue.
4. ____?
Porque a rainha tinha inveja da beleza de Branca de Neve.
5. ____?
Não. Ele sempre dizia a verdade.
6. ____.
Porque ela era muito bonita e doce e o Caçador ficou com pena dela.

26. Escolha a opção correta.

1. A rainha era muito... (   ) bondosa (   ) invejosa (   ) calma
2. O espelho... (   ) era mentiroso (   ) era fofoqueiro (   ) sempre dizia a verdade.
3. O Caçador... (   ) matou a princesa (   ) pensava que a princesa ia morrer na floresta.

27. Ordene as palavras masculinas e femininas. (Em dupla)

CRIADO / RAINHA / PRINCESA / CRIADA / CAÇADOR / REI / MADRASTA / ATOR / ANÃO / PADRASTO / IRMÃ / PRÍNCIPE / ANÃ / CAÇADORA / ATRIZ / MOÇA / FILHO / RAPAZ / FILHA / IRMÃO

Masculina	Feminina	Masculina	Feminina
Rei	...		

28. Para que serve...?

1. A colher? (   ) para cortar pão.
2. O garfo? (   ) para pôr a comida dentro.
3. A faca? (   ) para beber água ou vinho.
4. O prato? (   ) para tomar sopa.
5. O copo? (   ) para pegar comida do prato.

29. Como eram as camas dos anões?

1. A primeira era baixa demais.
2. A segunda ____________________________________.
3. ____________________________________.
4. ____________________________________.
5. ____________________________________.
6. ____________________________________.
7. ____________________________________.

30. Sua casa.

Escreva sua resposta e depois leia para os seus colegas.

1. Você também trabalha em sua casa? Por quê?

____

2. O que você mais gosta de fazer? Por quê?

____

3. O que você mais odeia fazer? Por quê?

____

31. Responda.

1. Quantas vezes a rainha tentou matar a princesa?

____

2. Quando ela conseguiu?

____

3. Por que os anões deram o caixão da Branca de Neve para o príncipe?

____

4. Por que a princesa se casou com o príncipe?

____

32. Vamos recontar a história juntos.

(*Em uma roda com toda a turma o professor inicia a história: Era uma vez uma...*)

Estudos dos verbos no imperativo — informal				
Pronomes pessoais	**FalAR**	**BebER**	**DormIR**	**Irregulares Fazer/vir/ir**
Informal (Tu)	___a	___e	___e	Faz/vem/vai
Formal (Você)	___e	___a	___a	Faça/venha/vá

Observação: O imperativo, na segunda pessoa do singular, coincide com a terceira pessoa do presente do indicativo da maioria dos verbos.

33. **Complete, conforme o modelo (imperativo informal).**

O que os anões pedem para Branca de Neve?

OS ANÕES PEDEM PARA BRANCA DE NEVE...	
Arrumar a casa.	- Arruma a casa!
Comer à vontade.	- Come à vontade!
Lavar a louça.	-
Cozinhar.	-
Tomar cuidado com a madrasta.	-
Limpar os móveis.	-
Entrar.	-
Pentear os cabelos	-
Beber água.	-
Dormir tranquila.	-
Ir para casa.	-
Fazer os deveres de casa.	-

34. **Complete o quadro com nacionalidade de alunos de outros países (que ainda não estão no quadro).**

DE ONDE É...?

País	Masculino	Feminino
Alemanha	alem**ão**	alem**ã**
Brasil	brasileir**o**	brasileir**a**
Suíça	suíç**o**	suíç**a**
Argentina	argentin**o**	argentin**a**
Estados Unidos	american**o**	american**a**
Itália	italian**o**	italian**a**
França	franc**ês**	frances**a**

35. Use o adjetivo correspondente. (Em grupo)

O primeiro participante deve responder à pergunta, e o segundo deve concordar ou discordar e dizer por quê.

1. O atual presidente da república dos Estados Unidos.
   a. (primeiro participante:) O atual presidente americano é ______________________________.
   b. ____.
2. Um dos maiores corredores automobilísticos de todos os tempos da Alemanha.
   a. (primeiro participante:) O maior corredor __________________ é ____________________.
   b. ____.
3. O melhor jogador de todos os tempos da Argentina.
   a. (primeiro participante:) O maior jogador __________________ é ____________________.
   b. ____.
4. A personagem de livros infantis mais conhecida da Itália.
   a. (primeiro participante:) A personagem ____________ mais conhecida é ________________.
   b. ____.
5. O melhor jogador de futebol do mundo é o ________________ (adjetivo) ________________.
   b. ____.
6. O atual presidente do Brasil.
   a. ____.
   b. ____.
7. A personagem de quadrinhos da França mais conhecida.
   a. ____.
   b. ____.
8. A personagem da Inglaterra mais querida pelos jovens de todo o mundo.
   a. ____.
   b. ____.

36. Ser ou estar?

VERBO SER: O VERBO SER TEM UM CARÁTER PERMANENTE.

EXEMPLOS:

Nacionalidade: Nós **somos** alemães. Vocês **são** brasileiros. Carol **é** americana.

Profissão: Meus pais **são** engenheiros. Messi **é** jogador. Eu **sou** professora.

Horas: **É** uma hora. **São** duas horas.

Localização permanente: A escola **é** em Botafogo.

VERBO ESTAR: O VERBO ESTAR DESIGNA UM ESTADO TEMPORÁRIO.

EXEMPLOS:

Condição temporária: Eu **estou** resfriado. Nós **estamos** com fome. Você **está** com sede? Meus pais **estão** felizes

Localização temporária: Meus amigos **estão** na minha casa. Nós **estamos** na escola.

Pronomes pessoais	SER	EstAR
Eu	sou	estou
Você Ele Ela	é	está
Nós	somos	estamos
Vocês Eles Elas	são	estão

37. Complete com o verbo SER ou ESTAR.

1. Nós ______________________ alemães.
2. Anita ______________________ brasileira.
3. Eu ______________________ sueca.
4. Aquele menino ______________________ brasileiro.
5. Marcelo ______________________ muito feliz com seu hotel.
6. Nós ______________________ na casa de Leonardo.
7. Os jogadores ______________________ argentinos.
8. Aquele homem ______________________ professor dos meus filhos.
9. Eu ______________________ da Suécia.
10. Nós ______________________ cariocas.
11. Aquela moça ______________________ berlinense.
12. Amanda não vem à festa porque ela ______________________ resfriada.

38. Marque a melhor opção.

1. Há quanto tempo você está no Brasil?	( ) Sei.
2. Você compreende?	( ) Pois não.
3. Fale mais devagar, por favor.	( ) Às vezes.
4. Obrigado.	( ) Eu estou no Brasil há quatro meses.
5. Com licença.	( ) De nada.
6. Você fala inglês?	( ) Pode sim.
7. Você sabe nadar?	( ) Pois não.
8. Posso ir ao banheiro?	( ) Não, não compreendo.
9. Você vai muito à praia?	( ) Ricardo.
10. Como é seu nome?	( ) Falo.

39. **Que adjetivos podemos usar para as palavras do quadro a seguir?**

O adjetivo pode ser repetido, desde que seja adequado. Vence o participante que usar dois adjetivos para cada item. Quando necessário, passe-o para o feminino.

azul / legal / chato / loiro / divertido / aguado / doce / colorido / calmo / feio / ondulado / gelado / liso / tropical / belo / interessante / crespo

CABELOS	BORBOLETA	ESCOLA	PAÍS	SUCO
___	___	___	___	___
___	___	___	___	___
___	___	___	___	___
___	___	___	___	___
___	___	___	___	___

40. **Música.**

O SAPO NÃO LAVA O PÉ

O sapo não lava o pé
Não lava o pé porque não quer
Mora na beira da lagoa
Não lava o pé
Não lava o pé porque não quer

41. Quebra-cabeça (postal) ou cartões de vocabulário.

SEG	TER	QUA	QUI
16	18	14	15

O que vamos fazer hoje?

FOGUETE

Cadu tem doze anos e adora jogar bola com seus amigos. Ele acorda cedo todos os dias, porque as aulas começam às sete e meia e ele mora longe da escola.

No futebol, o apelido dele é Foguete, porque ele tem muita energia e corre muito pela quadra de futebol. Cadu mora perto da praia e, aos domingos,
vai jogar bola na areia.

Na praia, os jogadores gritam o tempo todo:

— Corre, Foguete!

— Passa a bola, Foguete!

— Marca o nove! Marca o nove!

— Chuta pro gol, Foguete!

— Volta, Foguete!

— Valeu, Foguete!

— É puxa gooooool!

Cadu corre pelo campo, passa a bola para um amigo, recebe a bola e chuta forte. Ele faz um gol.

— É gooooool!

Os goleiros têm medo, pois Cadu chuta muito forte e nunca perde um gol de pênalti.

1. Responda.

Quantos anos tem Cadu?
Resposta: ______________________________

Com quem ele joga bola?
Resposta: ______________________________

Por que Cadu acorda cedo?
Resposta: ______________________________

Qual é o apelido de Cadu no futebol?
Resposta: ______________________________

Por que ele tem esse apelido?
Resposta: ______________________________

Você também tem um apelido? Qual?
Por quê?
Resposta: ______________________________
____

Onde Cadu mora?
Resposta: ______________________________

Por que os goleiros têm medo do Cadu?
Resposta: ______________________________

E você? Você mora perto de quê?

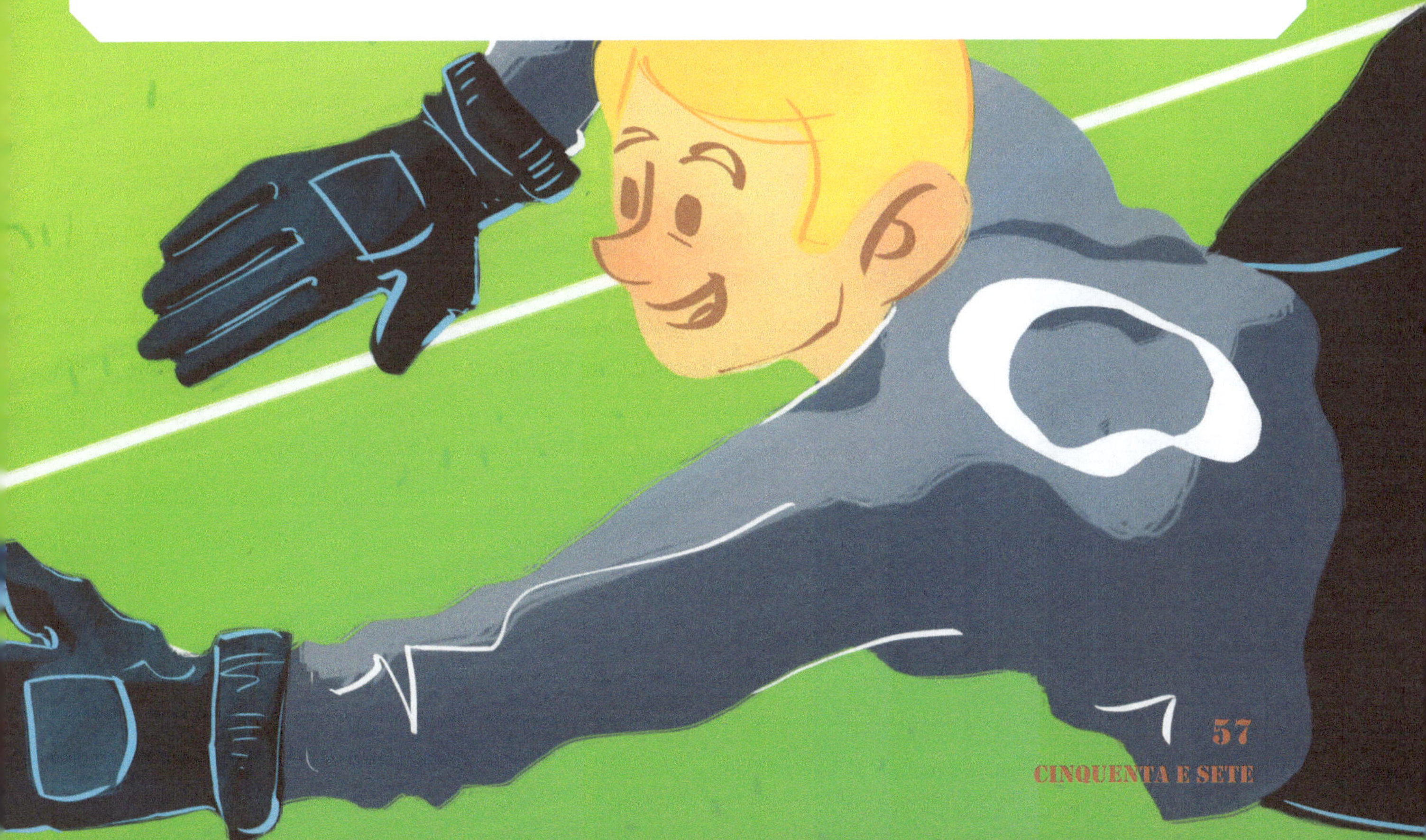

( ) ( ) ( )

2. Ligue corretamente.

1. Chutar
2. Gritar
3. Passar a bola
4. Correr
5. Marcar um jogador.
6. Valeu.

( ) 

( ) 

( ) 

3. Seu amigo fala muito baixo e você precisa perguntar de novo.

Expressões interrogativas:

ONDE...?   A QUE HORAS...?   AONDE...?   QUEM...?   POR QUE...?

Cadu *é um menino que adora jogar bola*.
Como? Quem é Cadu ______________________________?
Ele vai *para o clube*.
O quê? ______________________________?
A escola começa *às sete e meia*.
Hein? ______________________________?
Cadu mora *perto de um clube*.
Hã?! ______________________________?
Porque ele corre muito pelo campo.
O quê? ______________________________?
Porque ele mora longe da escola.
Hein? ______________________________?

4. Disputa de pênalti.

Preparação:

Recorte vinte cartas (5 cm × 10 cm) de uma folha de cartolina.

Escreva em cada carta uma frase da relação abaixo.

Procure entender o significado das frases.

O jogo:

A turma deve ser dividida em duas equipes.

As cartas devem ser embaralhadas.

A equipe com o jogador mais jovem começa o jogo.

Cada jogador, de cada equipe, por vez, desvira a carta de cima do monte.

As cartas com comentários positivos valem um gol, desde que o jogador grite “É gol!”, imediatamente, mostrando que reconheceu a frase.

As frases com comentários negativos não valem gol, e o jogador deve gritar: “Foi mal!”

O jogador que não se manifestar imediatamente após o “chute” ficará uma vez sem jogar.

Frases:

Golaço!
Você chutou pra fora.
A bola bateu na trave.
O goleiro espalmou.
O goleiro tomou um frango.

Bolão!
Valeu!
Foi mal!
A bola bateu na trave e entrou.
O goleiro agarrou.
A bola passou por debaixo das pernas do goleiro.
A bola balançou a rede.
O goleiro espalmou para dentro.
Você chutou alto demais.
A bola bateu na trave e voltou.
O chute foi certeiro.
A bola encobriu o goleiro.
Você isolou a bola.
O goleiro tirou de cabeça.
Cobrou o pênalti e guardou.
O goleiro ganhou uma caneta.
...

Estudos dos verbos no imperativo-informal			
Pronomes pessoais	ChutAR	CorrER /DiscutIR	FazER*
Tu	___a	___e	faz

Observação: O imperativo, na segunda pessoa do singular, coincide com a terceira pessoa do presente do indicativo da maioria dos verbos.
*irregular.

5. O que as pessoas mandam Conrado fazer?

Ganha o primeiro aluno que completar o quadro.

Passar a bola/chutar pro gol/fazer o dever de casa/estudar/ligar o rádio/comprar pão/ abaixar o som/ desligar a televisão/sair do computador/passar o protetor solar/escrever/ fazer os exercícios/ir ao mercado/voltar para a defesa/acordar/ler mais alto/ parar de conversar/bater o pênalti/cruzar a bola/guardar o material na mochila/ ir tomar banho/ir dormir/beber o suco/comer os legumes/...

Seus amigos do futebol	Seus pais	Sua professora
Passa a bola, Conrado!		

6. Qual é o contrário de...

1. Conrado acorda tarde? Não, ele acorda...	( ) rápido.
2. O menino mora longe do clube? Não, ele mora...	( ) cedo.
3. O jogador chuta fraco? Não, ele chuta...	( ) alto.
4. A bola é barata? Não, ela é...	( ) adora.
5. Conrado odeia futebol? Não, ele...	( ) acabar.
6. O jogo vai começar? Não, o jogo vai...	( ) cara.
7. Os jogadores falam baixo? Não, eles falam...	( ) forte.
8. Os locutores de futebol falam devagar? Não, eles falam...	( ) perto.

Observe as posições dos jogadores no campo.

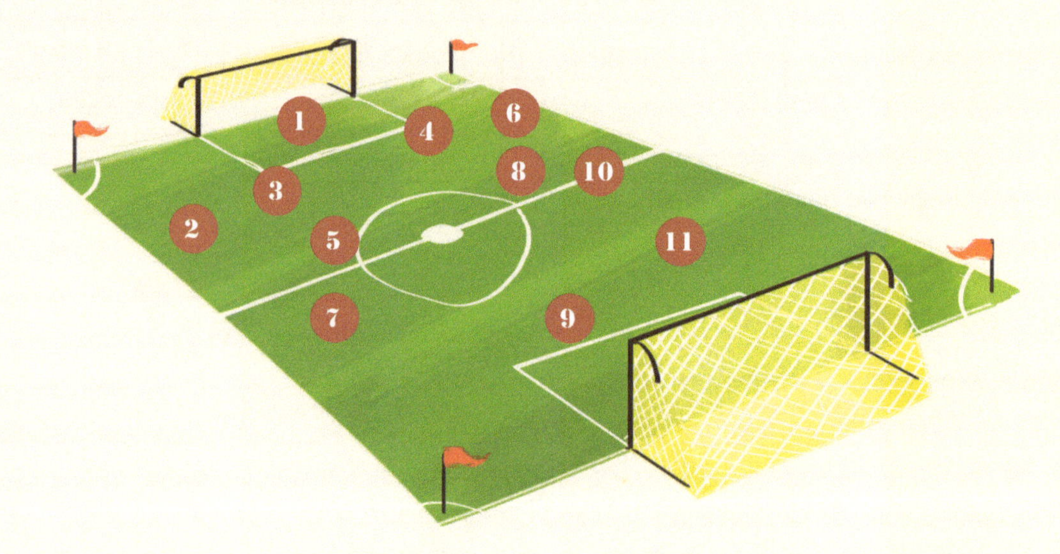

7. Indique que números podem receber os jogadores de acordo com sua função.

Funções	Números das posições
Goleiro: Sua função é agarrar a bola. É o único jogador que pode usar as mãos dentro da área.	
Zagueiros: Sua função principal é ajudar o goleiro, evitar gols.	
Laterais: Esses jogadores têm dupla função, que é atacar e marcar na hora certa. Correm pelos lados do campo.	
Volantes: Esses jogadores jogam no meio do campo e são os primeiros que marcam o jogador adversário. Eles também passam a bola para os atacantes.	
Meias: Sua função principal é passar a bola para os atacantes perto do gol adversário.	
Atacantes: A função básica é marcar gols, e normalmente jogam no ataque.	

O MELHOR TIME DO MUNDO

8. **Escreva a seguir o nome dos jogadores com os quais você formaria o seu time.**

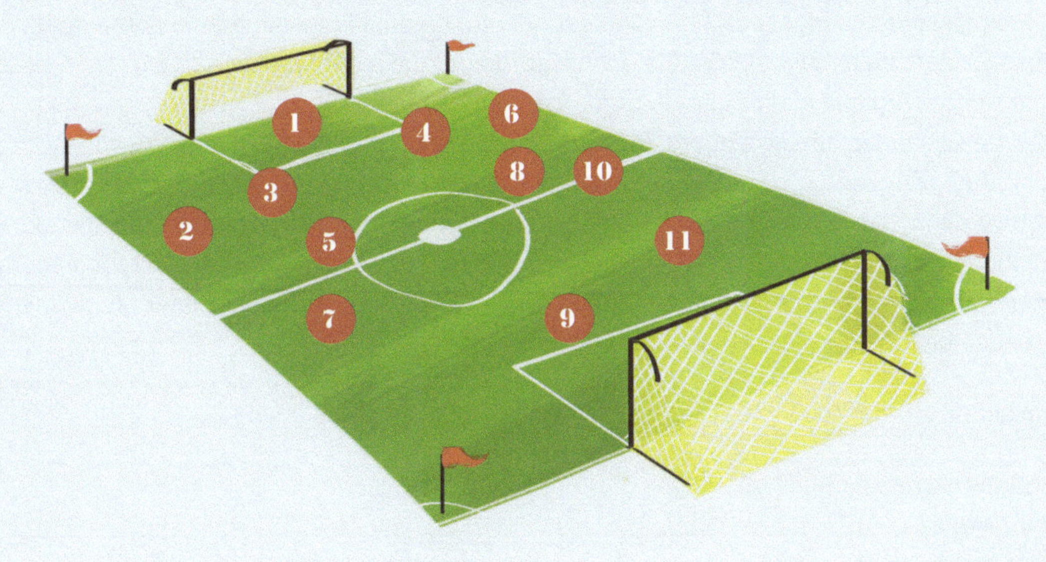

Funções	Números das posições
Laterais:	
Goleiro:	
Volantes:	
Atacantes:	
Meias:	
Zagueiros:	

9. **Você não gosta muito de futebol? Então qual é o seu esporte preferido? Desenhe seu campo numa folha de cartolina e descreva as funções dos jogadores para seus colegas.**

NO JARDIM ZOOLÓGICO

Hoje é Domingo. Carlos e Rita não têm aula. Eles vão ao zoológico. Eles não precisam acordar cedo. Eles acordam tarde.

Carlos vai rápido à padaria e compra leite, pão, queijo, ovos, manteiga e chocolate. Rita vai ao banheiro. Ela faz xixi, lava as mãos e o rosto com sabonete e muita água. Depois, ela escova os dentes e troca de roupa. Carlos também escova os dentes e toma banho de chuveiro. Ele não arruma seu quarto. Já Rita arruma seu quarto e vai para a cozinha. Eles tomam chocolate quente e comem pão com queijo e ovos.

Depois vão até o ponto de ônibus. Eles vão de ônibus para o jardim zoológico. Eles não vão de táxi porque o táxi é mais caro do que o ônibus. No jardim zoológico, eles veem muitos animais. Veem uma zebra muito bonita, veem o macaco, veem os leões. Os leões estão dentro de uma jaula. Eles são muito perigosos. O macaco está dentro de uma jaula também e come muitas bananas. O elefante é muito gordo. Ele é mais gordo do que a girafa. Mas a girafa tem o pescoço mais comprido. A girafa é mais alta do que o leão e o elefante.

Carlos e Rita estão em casa agora. Eles gostaram muito do passeio, mas estão cansados. Rita assiste à televisão com sua prima Elizabeth. Amanhã é segunda-feira, e Carlos vai fazer uma prova de Inglês. Ele deita em sua cama e começa a estudar. Mas ele está tão cansado, que adormece, dorme profundamente. E sabe com o que ele sonha? Isso mesmo! Ele sonha com os bichos do zoológico. Todos os animais do zoológico vão à sua casa para visitá-lo. E os animais falam seus nomes em inglês. Amanhã, ele vai fazer uma boa prova.

10. Responda.

1. Aonde vão Carlos e Rita?
   Resposta: ______________________________.
2. Eles acordam muito cedo?
   Resposta: ______________________________.
3. Quem vai à padaria?
   Resposta: ______________________________.
4. O que eles comem de manhã?
   Resposta: ______________________________.
5. Por que eles não vão de táxi?
   Resposta: ______________________________.
6. Que bichos eles veem no zoológico?
   Resposta: ______________________________.
7. Que animal tem um pescoço muito comprido?
   Resposta: ______________________________.
8. Por que Carlos precisa estudar?
   Resposta: ______________________________.
9. Com o que ele sonha?
   Resposta: ______________________________.
10. Por que ele vai fazer uma boa prova?
   Resposta: ______________________________.

11. Observe os animais.

a. Que animais vivem na fazenda?
Resposta: ______________________________.

b. Que animais vivem na África?
Resposta: ______________________________.

c. Que animais as pessoas podem ter em casa?
Resposta: ______________________________.

d. Você tem um animal de estimação?
Resposta: ______________________________.

e. Que animal você gostaria de ter? Por quê?
Resposta: ______________________________

12. Sua opinião.

Você gostaria de ter um passarinho preso em uma gaiola?

( ) Sim, porque eu ia dar comida todo dia para ele.
( ) Não, porque eu acho que os animais presos ficam tristes.
( ) Sim, porque ele ia poder cantar todo dia para mim.
( ) Não, porque os animais não são brinquedos.
( )  ______________________________.

Estudos dos verbos irregulares no presente			
Pronomes pessoais	**VER**	**FazER**	**IR**
Eu	vejo	faço	vou
Você Ele Ela	vê	faz	vai
Nós	vemos	fazemos	vamos
Vocês Eles Elas	veem	fazem	vão

13. **Use um dos verbos do quadro anterior.**

Carlos e Rita ______________ ao zoológico.
Os alunos ______________ uma prova de Inglês.
Nós ______________ muitos animais.
Eu ______________ televisão à tarde.
Meus pais ______________ um lindo passeio.
Todos ______________ de ônibus, porque o táxi é mais caro.
Os irmãos ______________ muitos animais dentro das jaulas.
Nós ______________ ao cinema domingo que vem.
Eu ______________ meus deveres e depois ______________ televisão.
Os professores ______________ ao cinema sábado que vem.

Estudos dos verbos regulares e irregulares no pretérito perfeito			
Pronomes pessoais	**Acordar**	**Entender**	**Partir**
Eu	acord**ei**	entend**i**	part**i**
Você Ele Ela	acord**ou**	entend**eu**	part**iu**
Nós	acord**amos**	entend**emos**	part**imos**
Vocês Eles Elas	acord**aram**	entend**eram**	part**iram**

Pronomes pessoais	Ver	Fazer	Ir
Eu	vi	fiz	fui
Você Ele Ela	viu	fez	foi
Nós	vimos	fizemos	fomos
Vocês Eles Elas	viram	fizeram	foram

14. **Vamos recontar a história "No Jardim Zoológico"?**

*Era** domingo. Carlos e Rita não *tinham** aula. Eles ______________ ao zoológico. Eles não ______________ acordar cedo. Eles ______________ tarde.
Carlos ___________ rápido à padaria e ___________ leite, pão, queijo, ovos, manteiga e chocolate.
Rita ___________ ao banheiro. Ela ___________ xixi, ___________ as mãos e o rosto com sabonete e muita água. Depois, ela ___________ os dentes e ___________ de roupa.
Carlos também ___________ os dentes e ___________ banho de chuveiro.
Carlos não ___________ seu quarto.
Rita ___________ seu quarto e ___________ para a cozinha.
Eles ___________ chocolate quente e ___________ pão com queijo e ovos.
Depois ___________ até o ponto de ônibus. Eles ___________ de ônibus para o jardim zoológico.

---

* Dica: No início das histórias, é comum o emprego do Pretérito Imperfeito.

Eles não __________ de táxi porque o táxi é mais caro do que o ônibus

No jardim zoológico, eles __________ muitos animais. __________ uma zebra muito bonita. __________ o macaco. __________ os leões.

Carlos e Rita __________ muito do passeio, mas ficaram cansados.

Rita __________ televisão com sua prima Elizabeth.

Segunda-feira, Carlos __________ uma prova de Inglês.

Ele __________ com os bichos do zoológico. No sonho, todos os animais do zoológico __________ à sua casa para visitá-lo. E os animais __________ seus nomes em inglês. Por isso ele __________ uma boa prova.

15. Vamos recontar a história "No Jardim Zoológico" oralmente? (Em trio)

ERA UMA VEZ...

16. Quem dorme nesse quarto? (Em dupla)

1. Cada componente da dupla deve tapar uma das imagens, de forma que cada um veja um quadro diferente.
2. Cada dupla deve registrar (escrever) dez diferenças entre os dois quartos.
3. A dupla vencedora deve então ler suas respostas para a turma.

17. Adivinha que animal é esse.

1. Um aluno imita um animal através de mímica, de gestos e de sons. Os outros têm que adivinhar.
2. Sorteia-se um aluno para dizer o nome de um animal. O mesmo aluno escolhe um colega que deve imitar esse animal através de mímica, gestos e sons.
3. Um aluno escreve o nome de um animal em uma folha, sem que os outros vejam. Os outros fazem perguntas indiretas. Quem disser o nome do animal errado sai do jogo. Ganha o primeiro que acertar o animal. Este aluno, então, reinicia o jogo, escrevendo o nome de outro animal.

Observe os animais do Quadro A.

QUADRO A

18. **Complete o quadro com os animais correspondentes à sua classificação.**

QUADRO B

CANINOS	FELINOS	ROEDORES	RÉPTEIS

ADJETIVOS EM COMPARAÇÃO

bonito – mais bonito do que...

perigoso – mais perigoso que...

Da mesma forma: veloz, lento, manso, engraçado, elegante, alto, baixo, gordo, magro etc.

MAS...

grande – maior do que...

pequeno – menor do que...

bom – melhor do que...

mal – pior do que...

19. Comparando os animais.

1. O leão é mais ______________ do que o cachorro.
2. ______________ é maior que ______________.
3. ______________ é mais bonito do que ______________.
4. ______________ é mais veloz que ______________.
5. ______________ é menor que ______________.
6. ______________ é ______________ do ______________.

COM QUE ROUPA? (1)

Nina tem sua semana sempre muito agitada, pois ela acorda todo dia muito cedo para ir à escola. À tarde, ela tem muitas atividades e precisa se arrumar para cada uma delas. Ela pratica esporte, frequenta cursos e sai para fazer compras e para visitar suas amigas. Vamos ajudá-la a se arrumar?

20. Recorte as roupas que estão no final deste livro e vista Nina da maneira mais adequada para as ocasiões.

Nina vai à escola.

Nina vai ao cinema com um amigo da escola.

Nina vai ao Maracanã com sua prima e seus tios.

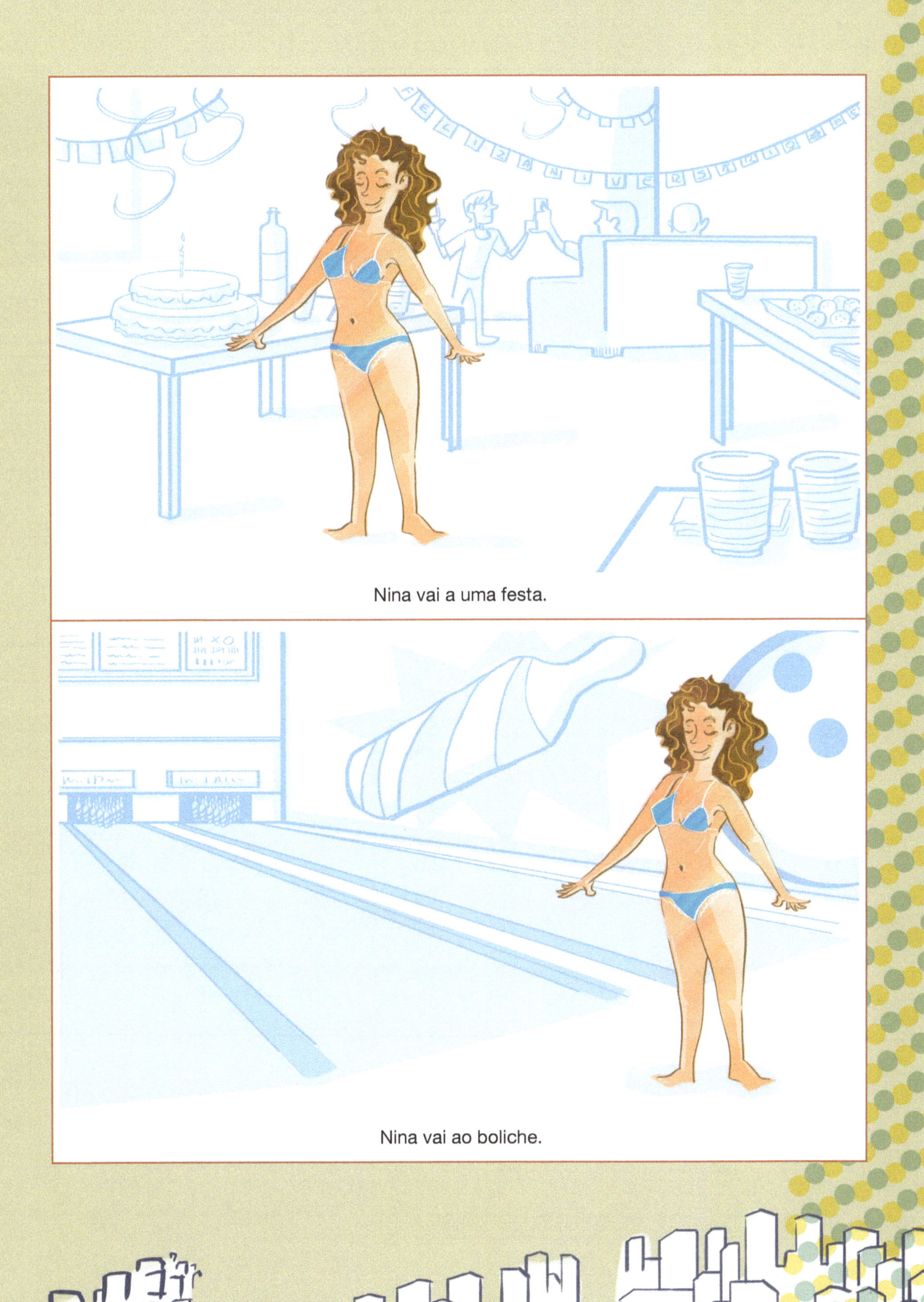
Nina vai a uma festa.

Nina vai ao boliche.

Nina vai à praia.

Nina vai ao shopping com suas amigas.

Nina vai à aula de natação.

Nina vai ao jardim zoológico.

COM QUE ROUPA? (2)

E essas outras pessoas, como elas se vestem?

21. Recorte as roupas que estão no final deste livro e vista estas pessoas da maneira mais adequada para as ocasiões.

Carlos vai à praia.

A professora vai à escola.

O pai de Nina vai para o escritório.

A mãe de Nina vai à festa de aniversário de sua prima.

22. **Como Nina se veste? Pergunte para o seu colega. (Em grupo)**

1. Como Nina vai à praia?

   Resposta: Ela vai de biquíni, com uma canga por cima e de sandália de dedos.

2. E como Nina vai à escola?
Resposta: Ela vai de ____
____.

3. E como Nina vai a uma festa?
Resposta: Ela vai de ____
____.

4. E como Nina vai ao jardim zoológico?
Resposta: Ela vai de ____
____.

5. E como Nina vai ao cinema?
Resposta: Ela vai de ____
____.

6. E como Nina vai ao boliche?
Resposta: Ela vai de ____
____.

7. E como Nina vai à natação?
Resposta: Ela vai de ____
____.

8. E como Nina vai ao Maracanã?
Resposta: Ela vai de ____
____.

9. E como Nina se veste para dormir?
Resposta: Ela dorme de ____
____.

10. E como Carlos vai à praia?
Resposta: Ele vai de ____
____.

11. E como a professora vai à escola?
Resposta: Ela vai de ____
____.

12. E como seu pai vai para o trabalho?
Resposta: Ele vai de ____
____.

23. Pergunte agora para seu colega sobre como ele gosta de se vestir. Depois, conte para a turma. (Em dupla)

EXEMPLO:

— E como você gosta de se vestir para ir ao cinema?
Resposta: Eu gosto de ir de calça comprida e de levar uma jaqueta por causa do ar condicionado.

24. **Desenhe.**

Saia	Vestido	Blusa	Short
Bermuda	Calça jeans	Macaquinho	Camiseta
Jaqueta	Top	Biquíni	Canga
Chinelo de dedo	Maiô	Roupa esportiva	Camisola
Pulôver	Pijama	Tênis	Sapato
Sandália	Óculos de sol	Toca	Boné
Sapato alto	Sapato de homem	Bermudão	Terno

O SAPO SIMPÁTICO E A SAPA DE SAPATO ALTO

25. Leitura dramatizada. (Com quatro alunos)

Leitura: O primeiro aluno lê sempre os dois primeiros versos de cada estrofe; o segundo lê os dois últimos versos de cada estrofe, completando a leitura do colega.
Encenação: Durante a leitura, dois alunos (representando o sapo e a sapa) devem encenar através de gestos a história de acordo com a leitura.

PARTE 1

Era uma vez dois sapos,
Dois sapos muito bacanas.
Moravam à beira de um lago,
Pras bandas de Copacabana.

O sapo era bom e simpático;
A sapa, guapa e cheirosa.
De dia, nadava no lago,
À tarde, tomava banho de rosa.

A sapa arrumava a casa,
Nadava e tomava sol;
O sapo mergulhava,
E pescava sem anzol.

Superfelizes viviam os sapos,
Superfelizes viviam os dois,
Um dia, comiam mosquitos;
Outro dia, feijão com arroz.

Sua casa tinha teto e varanda.
Feita de casca de banana.
Com vista para a floresta
E pra praia de Copacabana.

Mas um longo tempo não choveu.
Sem água, até a roseira morreu.

A sapa deu sapatada e chorou,
Mas o sábio sapo pediu calma e declarou:

"Não se aperreie, não sapateie, minha flor.
Se a vida tem beleza, ela também tem dor.
Vamos à busca de água, no parque do Arpoador,
E um dia, voltamos, eu juro, pro nosso ninho
de amor.

Então, os dois sapos levaram suas coisas,
Tudo bem arrumadinho:
Fogão, geladeira, bicicleta, violão, flautas,
Livros, roupas, pão integral e vinho.

O que você acha que vai acontecer com os sapos?

26. **Escreva "acho que sim" ou "acho que não".**

1. Os sapos vão morrer de sede.
   Resposta: ______________________________
   ______________________________ .

2. A sapa vai dar muita sapatada no sapo.
   Resposta: ______________________________
   ______________________________ .

3. Os sapos vão encontrar uma casa linda na praia do Arpoador.
   Resposta: ______________________________ .

4. Os sapos vão morar na casa da mãe da sapa.
   Resposta: ______________________________
   ______________________________ .

5. Eles vão voltar pra casa deles.
   Resposta: ______________________________
   ______________________________ .

27. **Continuação (Outros quatro alunos)**

PARTE 2

Assim, os dois andaram pra cachorro,
Subiram e desceram morro
E já queriam descansar um pouquinho
Quando viram lá um poço bem no meio do caminho.

Sapa: — *Meu tesouro, meu tesouro!*
Agora estou feliz!
Este poço tem tanta água,
Que vai até o meu nariz!

A sapa subiu no poço,
E já queria mergulhar,
Mas o sapo, muito esperto,
Começou logo a gritar:

Sapo: — *Você ficou maluca?*
Você ficou louca?
Olha bem pra esse poço!
Não vê que a água é pouca?

Sapa: — *Você tem razão;*
Só tem água no fundo.
Se você não me avisa,
Acabou-se o mundo.

Sapo: — *Tenha cuidado, minha flor,*
Não faça como os palermas!
Primeiro use a cabeça,
Só depois use as pernas.

A pobre sapa
Já ia chorar de tristeza,
Mas bem nesse momento
Começou uma chuva beleza.

Os dois ficaram muito felizes.
Correram, dançaram e cantaram,
Brincaram à beça na chuva,
Ficaram molhados, mas nem ligaram.

Sapa: — *Que chuvinha legal, senhor sapo!*
Que chuvinha boa!
Sapo: — *Agora podemos voltar, senhora sapa,*
Para nossa velha lagoa.

E assim, eles viveram cuidadosos, felizes e molhados para sempre.

28. Responda.

1. Onde é que os sapos **moravam**?
   Resposta: ____________________
2. Como **era** a mulher do sapo?
   Resposta: ____________________
3. Como **era** o sapo?
   Resposta: ____________________
4. Como **era** a casa deles?
   Resposta: ____________________
5. O que eles **comiam** todo dia?
   Resposta: ____________________
6. O que é que a sapa **fazia** todo dia?
   Resposta: ____________________
7. O que o sapo **fazia**?
   Resposta: ____________________
8. Por que a sapa **ficou** triste?
   Resposta: ____________________
9. O que os sapos **encontraram** no meio do caminho?
   Resposta: ____________________
10. O sapo **deixou** a sapa mergulhar no poço? Por quê?
    Resposta: ____________________
11. O que os sapos **fizeram** quando começou uma chuvinha beleza?
    Resposta: ____________________
12. E o que **aconteceu** no final da história?
    Resposta: ____________________

29. Sua opinião.

1. Você conhece alguém que fez coisas sem pensar? Conte como foi.
   Resposta: ____________________
2. A casa dos sapos tinha uma vista muito bonita. A sua casa também tem uma vista bonita? O que você pode ver?
   Resposta: ____________________
3. Você acha que a chuva é importante? Por quê?
   Resposta: ____________________

30. Procure o contrário.

1. Secar	5. Subir	( ) má	( ) chover
2. Fazer sol	6. Entrar	( ) voltar	( ) descer
3. Ficar triste	7. Boa	( ) vazio	( ) sair
4. Cheio	8. Ir embora	( ) molhar	( ) ficar alegre

31. Complete com o verbo Ir (fui/foi/fomos/foram)

1. Eu ________ à lagoa.
2. A sapa ________ até o poço.
3. Nós ________ à praia.
4. Os dois sapos ________ embora.
5. Eu ________ ao cinema ontem.
Você também ________ ?

32. Responda de acordo com o texto.

1. Os sapos moravam ________. (à beira de uma lagoa – na praia)
2. A sapa ________. (arrumava a casa – fazia compras no supermercado)
3. Os sapos comiam ________. (cachorros-quentes – feijão com arroz)
4. O sapo pescava ________. (peixes – baleias)
5. Os sapos bebiam ________. (vinho – cerveja)
6. Os dois sapos andaram pra cachorro. Eles andaram ________. (muito – pouco)
7. A sapa quer beber água. Ela está com ________. (fome – sede)
8. A dona sapa quer comer um sanduíche de mosquito. Ela está com ________. (fome – sede)
9. A sapa ficou triste. Ela quis ________. (chorar – rir)
10. Eu vou à escola, por isso eu fico ________. (alegre – triste)

33. Reorganize as sílabas e descubra as palavras.

cotipásim ________
cabana ________
xeipe ________
los ________
nhoba ________
clecibita ________
rizna ________
deilagera ________
ziova ________
posa ________
birsu e cerdes ________
badosá ________

34. É verdade ou é mentira?

É verdade! (V)

1. Os sapos adoram mergulhar. ( )
2. A casa dos sapos não era legal. ( )
3. A casa tem uma varanda para a lagoa. ( )
4. A sapa é má. ( )
5. O sapo bebe cerveja. ( )
6. A sapa não gosta de Sol. ( )

É mentira! (M)

7. O sapo bebe vinho. ( )
8. A sapa não cozinha porque ela não tem fogão. ( )
9. O sapo toca violão. ( )
10. A sapa toca flauta e canta. ( )
11. Os sapos moram em um apartamento. ( )
12. Eu toco flauta. ( )

35. Rima. (Os alunos podem tentar completar sem ler o quadro a seguir.)

COPACABANA / ARROZ / FLORESTA / SOL / PRATO / PORTUGUÊS

Um, dois
Feijão com ________

Três, quatro
Feijão no ____________________

Cinco, seis
Falo ____________________

Precisa de anzol
Porque pesco e tomo ____________

Sou um sapo bacana
Pois moro em ____________________

A sapa gosta de carnaval e de festa
Mas, às vezes, quer a calma da
____

36. **Sua poesia.** Agora invente seus versos. Um na sua língua e outro em português. (Cada aluno sorteado deve levantar e ler o seu.)

37. **Complete a história.**

O SAPO SIMPÁTICO E A SAPA DE SAPATO ALTO

Era uma vez dois ________. Um ________ muito legal e sua ________, uma sapa muito ________ e ________. Eles ________ à beira de um lago e ________ muito ________ porque sua casa era muito ________ e confortável. A casa tinha uma ________ para a floresta e para ____________________.

A sapa ________ e ________ sol todos os dias. O sapo ________ e ________ sem anzol.

Mas teve um ano que quase não ________. O lago ficou ________, sem água. A sapa ficou ________ porque ela não ________ cozinhar e nem tomar sol. O sapo também ficou ________ porque ele não ________ tomar ________ e nem ________.

Por isso eles resolveram ir________, ________ outro lugar.

38. **Entrevista. (Em duplas)**

A primeira dupla que terminar, poderá ler e apresentar para a turma.
Depois que os sapos já estavam de novo em sua casa, chegou um repórter da TV para fazer uma entrevista com eles.

Repórter: — Boa-noite, senhor sapo, por que o senhor foi embora de sua casa?
Sapo: — Boa ________. Eu fui ________ porque não tinha mais ________ na ________ e eu não podia mais t________ b________ e nem ________. E minha ________ também ________ ____________ mais ________ ________ e nem ________ .

Repórter: — E como foi a viagem?
Sapo: — A viagem foi muito ________ porque ____________________
____________________________________.

Repórter: — E vocês encontraram água?

Sapa: — Nós encontramos um ____________, mas ______________________________.

Repórter: — E por que vocês voltaram?

Sapo: — Porque ____.

Repórter: Obrigado pela entrevista.

Presente contínuo - Formação e uso		
Comprar – compr**ando**	Ler – **lendo**	Dormir – dorm**indo**
Verbo estar + gerúndio		
Eu Você Nós Vocês	estou está estamos estão	estud**ando**/**lendo**/r**indo**

39. **O que os sapos estão fazendo? (Em grupo)**

O sapo está mergulhando.

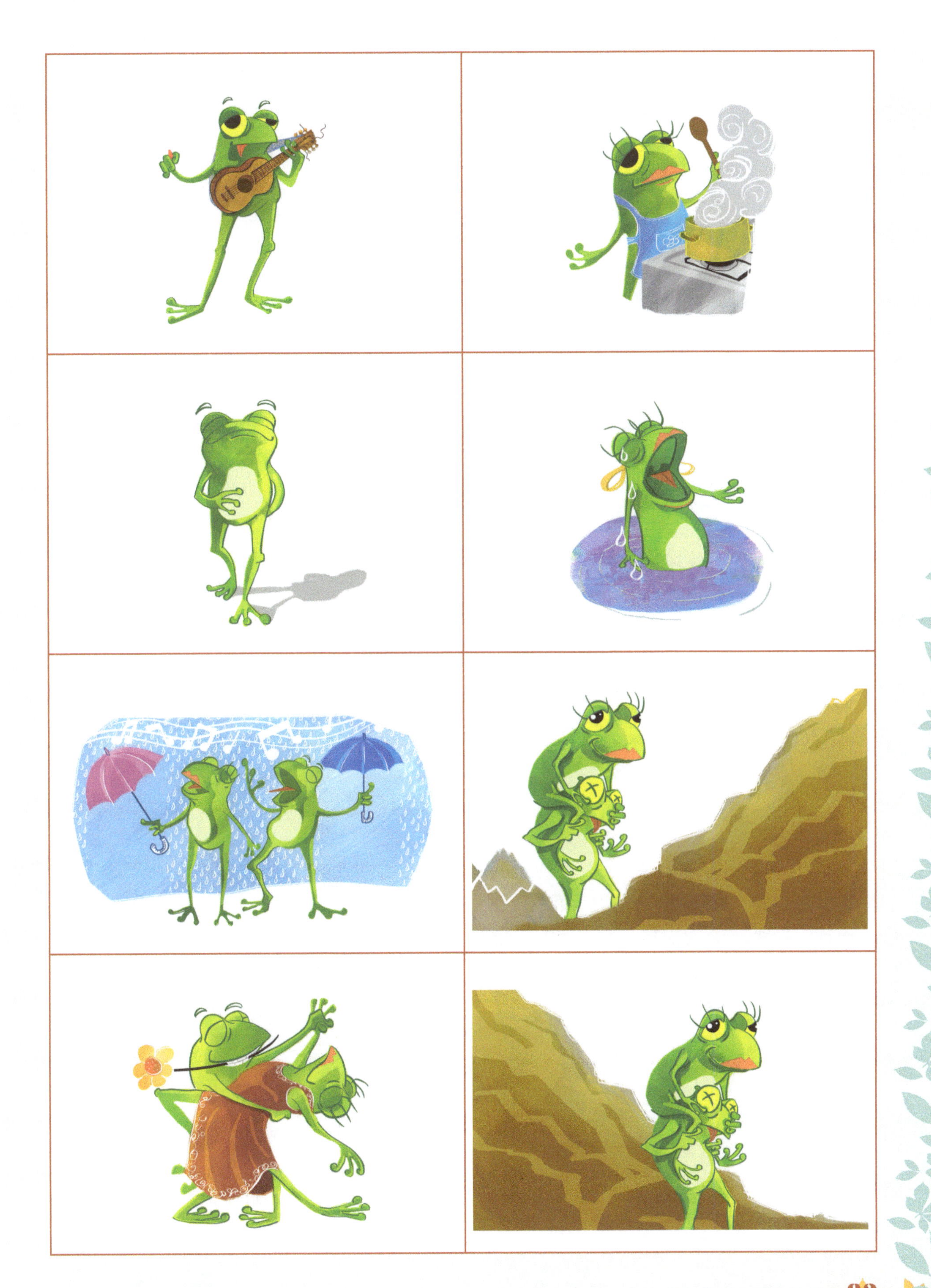

Pronomes possessivos			
eu	meu	minha	
você	seu	sua	
ele	seu	sua	dele
ela	seu	sua	dela
nós	nosso	nossa	
vocês	seu	sua	
eles	seu	sua	deles
elas	seu	sua	delas

40. Use o pronome correspondente.

1. Eu contei ____________ história; agora, você conta a ____________.
2. O sapo gosta da mulher ____________.
3. A sapa adora a casa ____________.
4. Os sapos não quiseram morar com os pais ____________.
5. Choveu e eu molhei a ____________ cabeça.
6. Você não esquenta a ____________ cabeça, pois a chuva vai passar.
7. Você quer saber onde eu vou morar no Rio de Janeiro? __________ hotel fica em Copacabana.
8. O sapo pesca ____________ peixe sem anzol.

41. Caça-palavras.

Ganha o aluno que achar primeiro 10 palavras.

G	E	L	A	D	E	I	R	A	R	I	O
F	V	I	O	L	A	O	O	P	A	O	F
L	A	V	A	T	R	A	U	A	L	A	O
A	G	R	S	A	P	O	P	A	A	R	G
U	U	O	E	M	E	N	A	I	R	R	A
T	A	L	O	U	C	A	S	A	S	O	O
A	P	O	Ç	O	N	A	R	I	Z	Z	O

A CASA DOS SAPOS (PARTICIPAÇÃO ESPONTÂNEA)

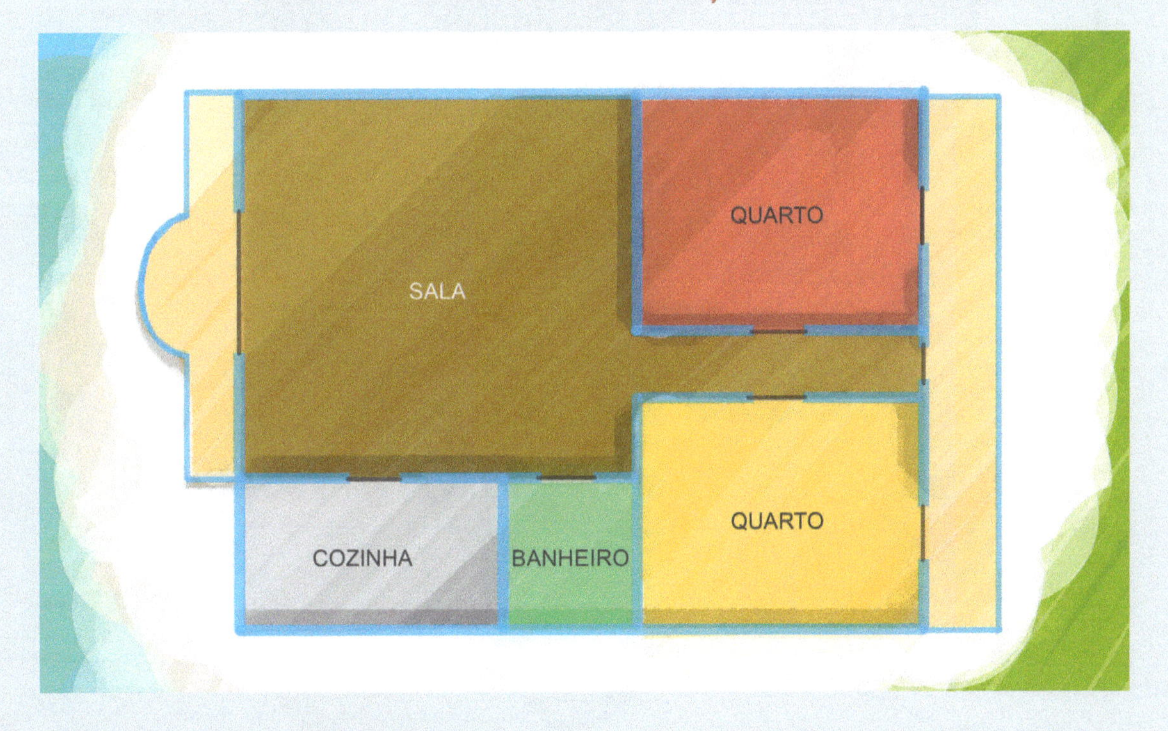

42. Descreva a casa dos sapos. (Cômodos)

— O que as pessoas podem fazer em cada cômodo?

43. Vamos arrumar a casa dos sapos?

Coloque o número do móvel no cômodo correspondente.

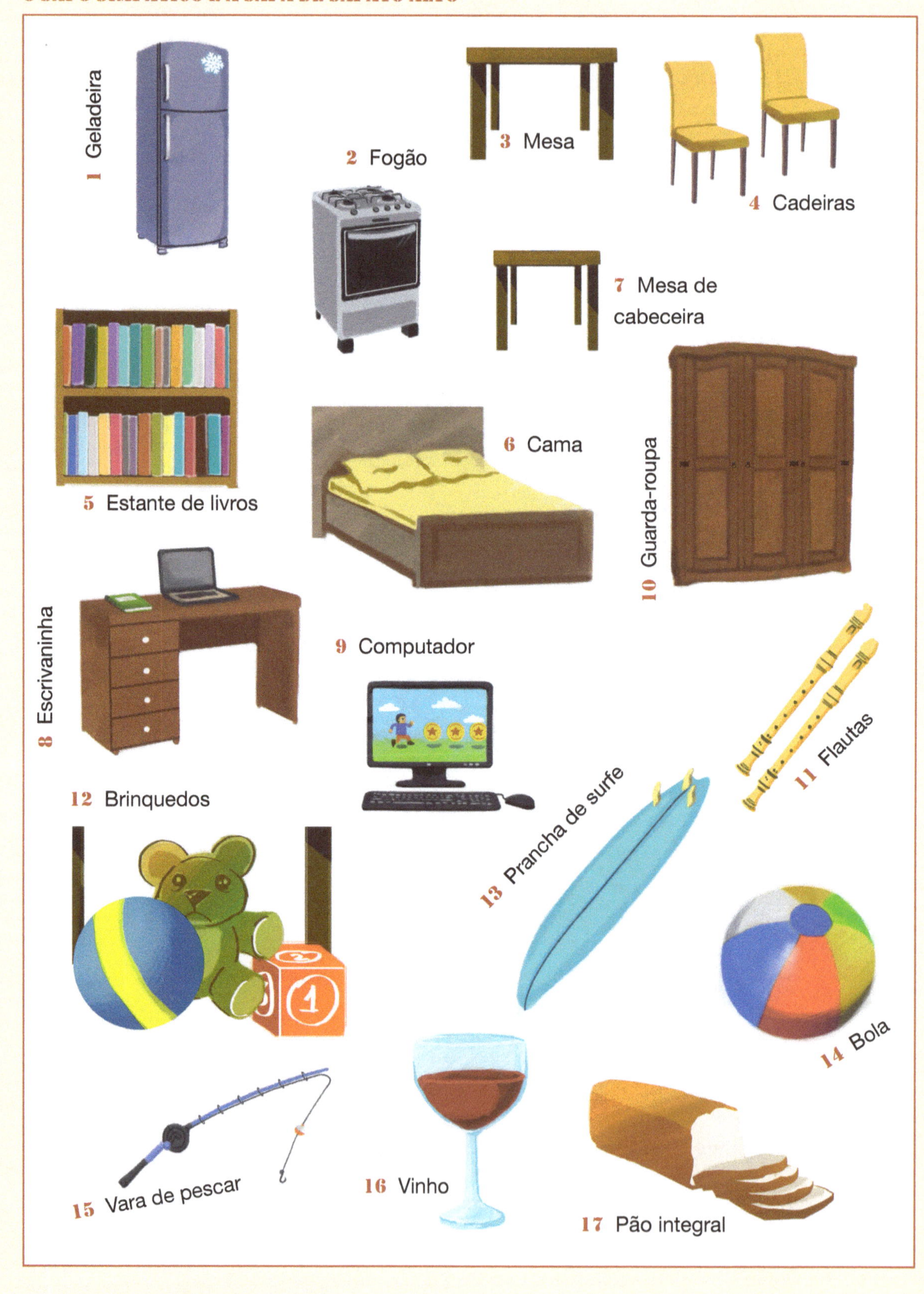

E como é a sua casa? (Em dupla)

44. Desenhe sua casa e diga para o seu parceiro como sua família a utiliza.

EXEMPLO:

Aqui fica o escritório de minha mãe. Aqui ela lê e trabalha no computador.

45. Anote algumas diferenças entre as casas e conte para a turma.

EXEMPLO:

A minha casa tem três quartos de dormir. A casa dele tem cinco.
A minha casa fica perto da escola. A casa dela fica longe.

NUMERAIS			
10 dez	40 quarenta	70 setenta	100 cem
20 vinte	50 cinquenta	80 oitenta	21 vinte e um...
30 trinta	60 sessenta	90 noventa	101 **cento** e um...

46. Bingo.

Cada participante desenha uma cartela e a completa com oito números, de um a cem. Escolhe-se uma pessoa para sortear os números. Vence o primeiro que terminar a cartela.

Exemplo da cartela:

18	34	81	8
64	51	75	16

47. Que adjetivos podemos usar para os seres do quadro a seguir? O adjetivo pode ser repetido, desde que seja adequado. Vence o participante que usar dois adjetivos para cada item. Quando necessário, passe-o para o feminino.

macio / cheiroso / maluco / veloz / bacana / comprido / antigo / escuro / beleza / azedo / delicioso / arborizado / fedorento / cheio / americano / cabeçudo				
BERMUDA	SAPO	CASA	CAMA	FRUTA
____ ____ ____ ____ ____	____ ____ ____ ____ ____	____ ____ ____ ____ ____	____ ____ ____ ____ ____	____ ____ ____ ____ ____

48. Quebra-cabeça (postal) ou cartões de vocabulário.

49. Música.

CAI, CAI, BALÃO

Cai cai balão, cai cai balão
Na rua do sabão
Não cai não, não cai não, não cai não
Cai aqui na minha mão!

Cai cai balão, cai cai balão
Aqui na minha mão
Não vou lá, não vou lá, não vou lá
Tenho medo de apanhar!

Brincadeiras de rua e jogos

A FOGUEIRA

Juca, Edu e Zeca eram três amigos muito bagunceiros. Eles moravam perto de um bosque muito bonito e adoravam brincar. Às vezes, eles brincavam de pega-pega; às vezes, eles brincavam de garrafão; e, às vezes, eles soltavam pipa.

Um dia, Juca teve uma boa ideia e contou logo para seus amigos:

— Vamos fazer uma fogueira?

Zeca adorou.

— Que legal! Eu trago o serrote de meu pai e então podemos cortar galhos secos.

— Eu trago fósforo da cozinha da minha mãe, diz Edu. E você, Juca, o que você vai trazer?

— Eu trago salsicha para assar no fogo, responde Juca.

— Então, eu trago uma garrafa cheia de suco de laranja.

Os três amigos foram correndo para casa e trouxeram tudo.

Zeca foi até uma árvore muito alta e subiu rapidinho para cortar galhos. Ele se sentou no galho e começou a serrar com o serrote.

Edu, que era muito esperto, viu que Zeca ia cair; ele estava sentado no galho que estava cortando.

— Zeca, espera...

Creck! Plack! Oooooooh! Bum!

Tarde demais. Zeca caiu da árvore com serrote, galho e tudo. Por sorte, ele caiu em cima de uma pequena árvore e não se machucou muito. Só ficou com um galo na cabeça.

Depois, eles ficaram muito cuidadosos com tudo. Fizeram a fogueira longe das árvores para não incendiarem a floresta. Eles tiveram muito cuidado com o serrote para não se cortarem.

Finalmente, a fogueira estava acesa! Eles fizeram uma churrasqueira com tijolos e assaram as salsichas. Beberam suco de laranja e contaram muitas histórias. A tarde foi muito, muito legal!

1. **Responda com frases completas.**

1. Onde moravam os três amigos?
   Resposta: ______________________________
   ____
2. De que eles gostavam de brincar?
   Resposta: ______________________________
   ____
3. Os meninos eram comportados ou bagunceiros?
   Resposta: ______________________________
   ____
4. Do que é preciso para se fazer uma fogueira?
   Resposta: ______________________________
   ____
5. Por que Zeca caiu da árvore?
   Resposta: ______________________________
   ____
6. Como eles fizeram a churrasqueira?
   Resposta: ______________________________
   ____

2. **Quem diz o quê?**

— Vamos fazer uma fogueira?
Resposta: ______________________________

— Que legal! Eu trago o serrote de meu pai e então podemos cortar galhos secos.
Resposta: ______________________________

— Eu trago fósforo da cozinha da minha mãe. E você, Juca, o que você vai trazer?
Resposta: ______________________________

— Eu trago salsicha para assar no fogo.
Resposta: ______________________________

— Então, eu trago uma garrafa cheia de suco de laranja.
Resposta: ______________________________

3. **Faça a combinação adequada.**

A. Zeca caiu do galho.
B. Os três amigos fizeram a fogueira longe das árvores.
C. Cada um trouxe uma coisa para a brincadeira.
D. Edu era muito esperto.

( ) Assim, todos puderam comer e beber e se divertir.
( ) Ele não era cuidadoso.
( ) Assim, não teve perigo de incêndio.
( ) Ele logo viu o perigo.

Tabela 1 Verbos irregulares no presente

Estar	Ter	Dizer	Trazer	Ir
Estou	Tenho	Digo	Trago	Vou
Está	Tem	Diz	Traz	Vai
Estamos	Temos	Dizemos	Trazemos	Vamos
Estão	Têm	Dizem	Trazem	Vão

A EXCURSÃO (1)

Sua turma vai fazer um passeio a um belo bosque fora da cidade. Seus colegas querem saber o que cada um vai trazer para comer, beber, brincar... Mas todos falam baixo para não atrapalhar a aula.

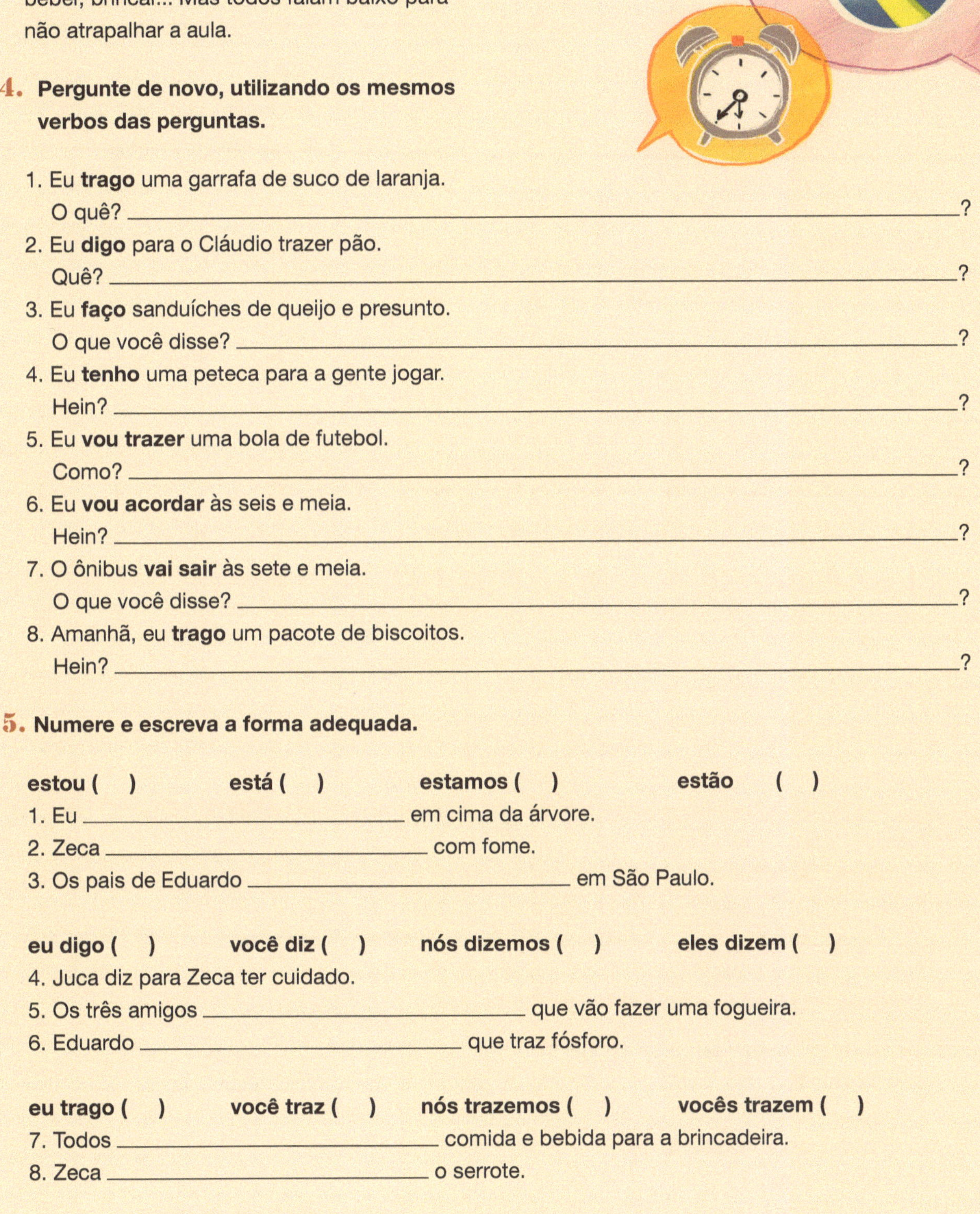

4. Pergunte de novo, utilizando os mesmos verbos das perguntas.

1. Eu **trago** uma garrafa de suco de laranja.
   O quê? ______________________________?
2. Eu **digo** para o Cláudio trazer pão.
   Quê? ______________________________?
3. Eu **faço** sanduíches de queijo e presunto.
   O que você disse? ______________________________?
4. Eu **tenho** uma peteca para a gente jogar.
   Hein? ______________________________?
5. Eu **vou trazer** uma bola de futebol.
   Como? ______________________________?
6. Eu **vou acordar** às seis e meia.
   Hein? ______________________________?
7. O ônibus **vai sair** às sete e meia.
   O que você disse? ______________________________?
8. Amanhã, eu **trago** um pacote de biscoitos.
   Hein? ______________________________?

5. Numere e escreva a forma adequada.

estou ( ) **está ( )** **estamos ( )** **estão ( )**

1. Eu ______________________ em cima da árvore.
2. Zeca ______________________ com fome.
3. Os pais de Eduardo ______________________ em São Paulo.

eu digo ( ) **você diz ( )** **nós dizemos ( )** **eles dizem ( )**

4. Juca diz para Zeca ter cuidado.
5. Os três amigos ______________________ que vão fazer uma fogueira.
6. Eduardo ______________________ que traz fósforo.

eu trago ( ) **você traz ( )** **nós trazemos ( )** **vocês trazem ( )**

7. Todos ______________________ comida e bebida para a brincadeira.
8. Zeca ______________________ o serrote.

6. Complete com o verbo adequado (ver Tabela 1).

1. Você ______________________________ seu caderno? (está/traz/vai/diz/vai)
2. Você ______________________________ ao Corcovado? (está/traz/vai/diz/vai)
3. Você ______________________________ no Corcovado? (está/traz/vai/diz/vai)
4. Marco ________________________ que vai à festa de aniversário do Brian. (está/traz/vai/diz/vai)
5. Eu ______________________________ uma bicicleta linda. (estou/vou/tenho)
6. Os amigos ______________________________ procurar lenha para a fogueira. (trazem/dizem/vão)
7. Caramba, vai chover! Vocês ______________________________ guarda-chuva? (têm/dizem/vão)
8. Vamos acender a fogueira. Quem ______________________________ fósforos? (traz/vai/tem/diz)

7. Caça-palavras.

O primeiro que encontrar 10 palavras vence.

B	A	G	U	N	C	E	I	R	O	I	L
R	S	A	C	C	U	S	G	A	L	H	O
A	S	R	O	H	I	E	S	O	R	T	E
S	A	R	R	E	D	C	L	E	G	A	L
I	R	A	T	I	A	O	T	I	R	A	L
L	J	F	A	O	D	E	I	P	E	G	A
A	C	A	R	D	O	D	P	I	P	A	O

8. Vamos brincar de garrafão? (Tradição oral).

Primeiro, nós desenhamos um retângulo de mais ou menos 8 passos de largura por 12 passos de comprimento.

Depois, fazemos duas aberturas no centro das laterais mais estreitas (de oito passos), como se fossem duas bocas de garrafas.

O pegador pode correr com duas pernas dentro e fora do garrafão, mas não pode atravessar as linhas; ele só pode passar pelas aberturas para perseguir os outros.

Os perseguidos podem ficar com dois pés fora do garrafão e podem atravessar as linhas, mas, dentro do garrafão, só podem correr do pegador com um pé só, como um saci.

O interessante é que podemos inventar regras para o jogo. Por exemplo:

- Os que forem pegos ajudarão a pegar os outros, e o jogo só acaba quando o último participante for pego. Neste caso, se dois pegadores conseguirem “fechar” o garrafão, posicionando-se nas duas bocas ao mesmo tempo. Os perseguidos serão mais facilmente apanhados pelos perseguidores.
- O primeiro a ser pego será o novo pegador.
- Se um perseguido colocar dois pés no garrafão, ele passa a ser pegador também.

Tabela 2 Verbos irregulares no pretérito perfeito				
Estar	**Ter**	**Dizer**	**Trazer**	**Ir**
Estive	Tive	Disse	Trouxe	Fui
Esteve	Teve	Disse	Trouxe	Foi
Estivemos	Tivemos	Dissemos	Trouxemos	Fomos
Estiveram	Tiveram	Disseram	Trouxeram	Foram

A EXCURSÃO (2)

Sua turma fez um passeio a um belo bosque fora da cidade, mas Marcelo, um de seus colegas, estava resfriado e não foi à excursão. Para não atrapalhar a aula, seus amigos contam baixinho sobre o passeio. Marcelo precisa perguntar outra vez.

9. Complete com as perguntas do Marcelo.

1. Eu **trouxe** uma garrafa de suco de laranja.
   O quê? ______________________________?
2. Eu **disse** para o Cláudio trazer pão.
   Quê? ______________________________?
3. Eu **fiz** sanduíches de queijo e presunto.
   O que você disse? ______________________________?
4. Eu **tive** uma peteca para a gente jogar.
   Hein? ______________________________?
5. Eu **trouxe** uma bola de futebol.
   Como? ______________________________?
6. Eu **acordei** às seis e meia.
   Hein? ______________________________?
7. O ônibus **saiu** às sete e meia.
   O que você disse? ______________________________?
8. Ontem, eu **trouxe** um pacote de biscoitos.
   Hein? ______________________________?

10. Como foi mesmo a história "A fogueira"?
(Conte no passado. Se precisar, consulte a tabela, de verbos irregulares no pretérito perfeito.)

Juca, Edu e Zeca **eram** três amigos muito bagunceiros. Eles **moravam** perto de um bosque muito bonito e **adoravam** brincar. Um dia, eles **brincavam** de pega-pega, outro dia, eles **brincavam** de garrafão e outro dia, eles **soltavam** pipa.

Um dia, Juca **(ter)** ______________ uma boa ideia e **(contar)** ____________ logo para seus amigos:

— Vamos fazer uma fogueira?

Zeca **(adorar)** ________________ a ideia.

— Que legal! Eu trago o serrote de meu pai e então podemos cortar galhos secos.

— Eu trago fósforo da cozinha da minha mãe, diz Edu. E você, Juca, o que você vai trazer?

— Eu trago salsicha para assar no fogo, responde Juca.

— Então, eu trago uma garrafa cheia de suco de laranja.

Os três amigos **(ir)** ________________ correndo para casa e **(trazer)** ________________ tudo.

Zeca **(ir)** ________________ até uma árvore muito alta e **(subir)** ________________ rapidinho para cortar galhos. Ele se **(sentar)** ________________ no galho e **(começar)** ____________ a serrar com o serrote.

Edu, que era muito esperto, **(ver)** ________________ que Zeca ia cair; ele estava sentado no galho que **estava** cortando.

— Zeca, espera...

Creck! Plack! Ooooooooh! Bum!

Tarde demais. Zeca **(cair)** ________________ da árvore com serrote, galho e tudo. Por sorte, ele **(cair)** ________________ em cima de uma pequena árvore e não se **(machucar)** ________________ muito. Só **(ficar)** ________________ com um galo na cabeça.

Depois eles **(ficar)** ________________ muito cuidadosos com tudo. **(Fazer)** ________________ a fogueira longe das árvores para não incendiarem a floresta. Eles **(ter)** ________________ muito cuidado com o serrote para não se cortarem.

Finalmente, a fogueira **estava** acesa! Eles **(fazer)** ________________ uma churrasqueira com tijolos e **(assar)** ________________ as salsichas. **(Beber)** ________________ suco de laranja e **(contar)** ________________ muitas histórias. A tarde **(ser)** ________________ muito, muito legal!

11. Escreva um e-mail para um(a) amigo(a) que fale português.

Imagine que você também participou da aventura ("A Fogueira") dos três amigos cariocas (do Rio de Janeiro) e quer escrever um e-mail para um(a) amigo(a) angolano(a) que fala português.

EXEMPLO:

(Londres, 25 de setembro de 2016.)

Querida Joana,
Caro Henrique,

No mês passado, eu fui para o Rio de Janeiro, no Brasil. Lá eu conheci três meninos...
...
...
...
...
Abraços,
Beijos,

Seu nome

PARA QUE SERVE...
SERRAR / CORTAR / ACENDER O FOGO / ASSAR A CARNE

12. Responda.

1. Para que serve a faca? Ela serve...
2. Para que serve o serrote?
3. Para que serve a churrasqueira?
4. Para que serve o fósforo?

13. Vamos jogar boca do forno.

Primeiro, escolheremos um mestre. Os outros participantes deverão cumprir as tarefas ordenadas por ele. As tarefas dependerão do local da brincadeira e dos objetos disponíveis e de ações possíveis.
Antes de começar as tarefas, todos deverão responder ao mestre.
Mestre: — Bento, que é bento o frade!
Todos: — Frade!
Mestre: — Na boca do forno!
Todos: — Forno!
Mestre: — Tudo que seu mestre mandar!
Todos: — Faremos todos!
Mestre: — E quem não fizer?
Todos: — Ganharemos um bolo!
Mestre: — Seu mestre mandou todo mundo pegar uma folha maior do que a palma de sua mão.

Outras ordens:
- Escrever o nome de animais que comece com a letra g.
- Recolher a assinatura de um funcionário da escola.
- Pegar três pedrinhas.
- Pegar objetos de determinada cor.

Quem conseguir executar três tarefas primeiro será o novo mestre. Quem não conseguir, ou sempre chegar por último, no lugar de ganhar um "bolo" (palmada) deverá pagar uma prenda, como, por exemplo, ficar em uma posição desconfortável determinada pelo mestre, como colocar um braço por entre as pernas e segurar o nariz.
Tanto as tarefas quanto as prendas podem ser improvisadas ou previamente determinadas pelos participantes.

NOMES E APELIDOS BRASILEIROS

14. **Que nomes correspondem aos apelidos.**

1. Maju ________________________________
2. Cadu ________________________________
3. Zeca ________________________________
4. Rô ________________________________
5. Manu ________________________________
6. Beto ________________________________
7. Rê ________________________________
8. Edu ________________________________
9. Juju ________________________________

RENATA / CARLOS EDUARDO / EDUARDO / JOSÉ CARLOS / MARIA JÚLIA / MANOELA / ALBERTO / JÚLIA / ROSANE

15. **Verdades e mentiras. (Em grupo)**

1. Cada aluno vai anotar três afirmações sobre sua vida. Por exemplo, sobre onde já esteve, sobre o esporte que pratica ou sobre uma experiência interessante que viveu. Uma das afirmações deve ser falsa.
2. Cada um dos alunos lê as afirmações sobre si.
3. Os outros devem anotar que afirmações são falsas.
4. O aluno que descobrir mais mentiras é o vencedor.

16. **Preencha a lacuna.**

É verdade! (V) ... É mentira! (M)

1. Eu tenho muitos amigos no Brasil. ( )
2. Eu adoro soltar pipa. ( )
3. Eu não gosto de jogar futebol. ( )
4. Eu sou alemã. ( )
5. Minha amiga é venezuelana. ( )
6. Meu amigo é comportado. ( )
7. Eu estudo muito nas férias. ( )
8. Os brasileiros comem cachorro. ( )
9. Os meninos da minha escola são muito bagunceiros. ( )
10. Meus pais são ingleses. ( )
11. Nós moramos em Ipanema. ( )
12. Nós somos franceses. ( )
13. Domingo, eu vou ao bosque. ( )
14. Sábado e domingo, eu vou à floresta. ( )
15. Segunda-feira, eu vou a uma festa de aniversário. ( )
16. Terça-feira, eu vou ao cinema. ( )
17. Quarta-feira, eu vou ao teatro. ( )
18. Quinta-feira, nós temos aula de português. ( )
19. Sexta-feira, eu faço uma fogueira. ( )
20. Os alunos adoram brincar de pega-pega. ( )
21. Eu não falo português. ( )
22. Eu tenho uma bicicleta. ( )
23. Nós temos um irmão pequeno. ( )
24. Eu sempre trago meu caderno para a escola. ( )
25. Eu trago salsicha para assar na escola. ( )
26. Nós fazemos uma fogueira na hora do recreio. ( )
27. O professor vai brincar de garrafão. ( )
28. Eu caí da escada. ( )

Tabela 3 Verbos cair e sair no presente e no pretérito perfeito				
Pronomes pessoais	**Cair**	**Sair**	**Cair**	**Sair**
	Presente	**Presente**	**Pretérito perfeito**	**Pretérito perfeito**
Eu	caio	saio	caí	saí
Você Ele Ela	cai	sai	caiu	saiu
Nós	caímos	saímos	caímos	saímos
Vocês Eles Elas	caem	saem	caíram	saíram

CAIR OU SAIR?

17. Complete.

1. Ontem, eu _______________ de casa atrasada para o jogo.
2. Na aula de esporte, eu _______________ durante o jogo de bola.
3. Meu tombo foi tão engraçado que todos _______________ na gargalhada.
4. Eu fiquei com tanta vergonha que _______________ de fininho.
5. Depois, eu e meus colegas _______________ para comer uma pizza no shopping.
6. Elizabete contou sobre meu tombo e todos nós _______________ na gargalhada de novo.

NUMERAIS		
100 cem	**600** seiscentos	**10.000** dez mil
200 duzentos	**700** setecentos	**100.000** cem mil
300 trezentos	**800** oitocentos	**1.000.000** um milhão
400 quatrocentos	**900** novecentos	**2.000.000** dois milhões
500 quinhentos	**1000** mil	**4.235.563** quatro milhões duzentos e trinta e cinco mil quinhentos e sessenta e três.

18. Pesquisa.

Diga o número de habitantes dos seguintes países:
Portugal: ______________________________
Moçambique: ______________________________
Angola: ______________________________
Brasil: ______________________________
China: ______________________________
Estados Unidos: ______________________________
Alemanha: ______________________________
E do seu país? ______________________________

19. Leilão. (Grupos de 5 participantes)

Dou-lhe uma, dou-lhe duas, dou-lhe três!

Fazenda de gado
Melhor propriedade da região para gado de leite (vacas, cabras e ovelhas)
Extensão: 1.300 hectares
Casa sede: 10 dormitórios com piscina e sauna
Casas de caseiro: 3
Animais: mais de 300 cabeças de gado, 20 cavalos puros-sangues, aves e muito mais

Iate luxuoso e moderno
Muito confortável
Capota deslizante (proteção contra sol e chuvas fortes)
Velocidade: 35 nós
Autonomia: 10 horas
Embaixo: salão com sofá, mesa e cama
Cozinha: completa, com micro-ondas, geladeira, mesa e armários
Banheiros: 2
Passageiros: até 8 pessoas

Avião bimotor
Ano de fabricação: 1981
Velocidade: 175 nós
Equipamento completo: rádio, radar e painel
Capacidade: 10 passageiros
Ar-condicionado
Dois banheiros

Carro de corrida
Potência: 800 cavalos
Velocidade: 350 km/h
De 0 a 100 km/h em 3 segundos
Comprimento: 4,7 m
Largura: 1,99 m
Altura: 1,11 m

Shopping center com 80 lojas
Localização: Centro de São Paulo
Comércio: lojas de brinquedos, roupas, móveis e eletrodomésticos
Restaurantes e lanchonetes
Loja de games eletrônicos

Mansão (ilha) com saída exclusiva para o mar
Dormitórios: 8 suítes
Andares: 3
Varanda: com belíssima vista
Píer: com botes a motor
Piscina, sauna e churrasqueira
Área construída: 1.000 m^2

 **Parque de arvorismo** Com tirolesas sobre lagos Pontes acima das copas das árvores Brinquedos aquáticos Piscinas com toboágua Cavalos e pôneis para passeio Pista de kart	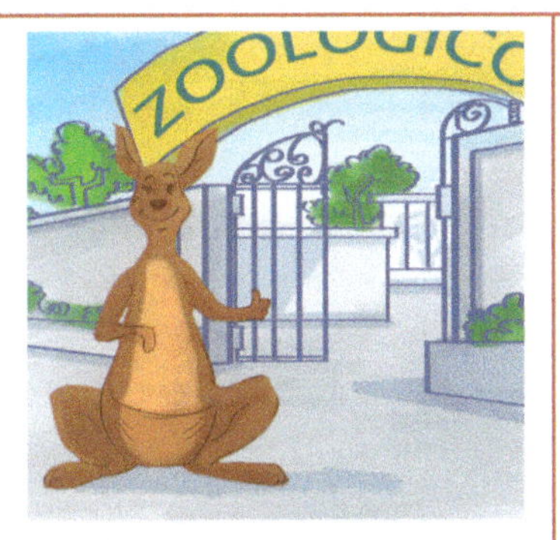 **Zoológico na Austrália** Não é possível precisar o número de animais Mais de 200 cangurus Mais de 150 veados Leões, tigres, zebras e elefantes Cobras e crocodilos Aves e roedores Casa com 5 quartos e uma linda loja de souvenires	 **Helicóptero** Capacidade: 4 pessoas Alcance: 620 km Velocidade máxima: 210 km/h Peso vazio: 630 kg Carga: 490 kg

Como jogar.

- Escolhe-se o leiloeiro.
- O leiloeiro deve anunciar cada um dos produtos, em ordem aleatória, dando ênfase às suas qualidades.
- Cada jogador poderá gastar até R$ 1.000.000,00 (um milhão de reais).
- Os pagamentos deverão ser efetuados através do preenchimento dos cheques (como no modelo).
- Os produtos comprados serão marcados com um botão ou uma ficha.
- O vencedor será aquele que conseguir comprar mais produtos.

Banco Pax nº 000 000 435 536 869 976 764 758 867 534 036 Valor: ____________

____

Pague por este cheque a quantia de ____

____

______________________, _____ de _______________ de _______.

Local e data

____

Assinatura

A LÂMPADA MÁGICA – LEITURA DRAMATIZADA

(Com base em piada de tradição oral.)

20. Leitura. Um narrador e quatro personagens.

Três amigos, um alemão, um português e um brasileiro, estavam passeando pela Praia de Copacabana quando acharam uma lâmpada mágica. Os três correram até a lâmpada e esfregaram suas mãos ao mesmo tempo. No meio de muita fumaça surgiu o gênio que disse:

— Cada um de vocês pode fazer três pedidos.

— Pois eu quero uma caixa de cerveja só para mim, um salsichão enorme e um baú cheio de dinheiro — disse o alemão, claro!

— Pois eu quero uma caixa de bacalhau, uma passagem de ida e volta para Portugal, pois eu estou morrendo de saudades da terrinha, e um baú cheinho de dinheiro — disse alegremente o português.

— Sua vez, *brasuca* — disse o gênio.

— Bom, eu quero um mês de carnaval no ano.

— Mais um pedido, brasileiro.

— Mais um mês de carnaval no ano.

— Vamos, brasileiro, mais um pedido!

— Um saco cheinho de dinheiro!

— Puxa, pensei que você fosse pedir mais um mês de carnaval.

— Eu ia, mas fiquei com vergonha.

Agora é sua vez.

21. O que você pediria para o gênio? Faça seus três pedidos.

Você tem sonhos de consumo?
Objetos, como instrumentos musicais, games ou aparelhos eletrônicos que você gostaria muito de ter se pudesse?
Fale sobre esses objetos. Por que eles são tão importantes para você? O que você pode fazer com eles? Quanto eles custam? Onde eles são fabricados?

22. Complete.

LUGARES PARA IR.

1. Hoje é domingo. Carlos e Rita querem assistir a um filme.
   (ao teatro – ao cinema – ao supermercado)
   Eles vão ______________________________.

2. Hoje é segunda-feira. Meu trabalho de casa está pronto.
(brincar com meus amigos – dormir – para a escola)
Eu vou ______________________.

3. Hoje é terça-feira. Nós temos que comprar um livro. (à biblioteca – à livraria – à padaria)
Nós vamos ______________________.

4. Hoje é quarta-feira. Meus pais vão voar para a Alemanha.
(à escola – ao escritório – ao aeroporto)
Meus pais pegam um táxi para ir ______________________.

5. Hoje é quinta-feira. Luís e Carolina estão com fome.
(ao açougue – à academia de ginástica – à lanchonete)
Eles querem ir ______________________.

6. Hoje é sexta-feira. Nós temos que fazer compras.
(ao shopping center – à livraria – ao supermercado)
Nós vamos ______________________.

7. Hoje é sábado. O dia está lindo e o sol brilha. (ao teatro – à rodoviária – à praia – à piscina)
Andréia vai ______________________.

8. Mônica estuda Medicina. (à rodoviária – à universidade – ao banheiro)
Ela vai ______________________.

9. Você precisa comprar pão? (ao shopping da Barra – à padaria – ao aeroporto)
Sim, eu preciso comprar pão, queijo, presunto e manteiga. Eu vou ______________________.

10. Já são sete horas. Meu pai já tomou café da manhã. (para o trabalho – à escola – à cozinha)
Ele tem que ir ______________________.

11. Minha mãe quer comprar uma calça e uma blusa. (à loja de roupas – à praia – ao teatro)
Ela vai ______________________.

12. Meu tio tem que ir para São Paulo, mas ele tem medo de voar. (ao aeroporto – à rodoviária)
Ele vai de táxi ______________________.

13. Hoje é dia de ginástica. (à academia – à padaria – ao açougue)
Eu vou ______________________.

14. Já é tarde. Eu estou cansado. (para a escola – para o clube – para a cama)
Eu vou ______________________.

15. Catarina está com dor de dente. (ao médico – ao dentista – ao professor)
Ela vai ______________________.

16. Pedro é médico. A mulher dele é médica. (para o hospital – para o restaurante – ao cinema)
Eles vão juntos ______________________.

17. O recreio acabou. Os alunos já beberam seu guaraná. O professor começa a aula.
(para a sala de aula – para a biblioteca – ao dentista)
Os alunos vão ______________________.

18. Eu estou com vontade de fazer xixi. (à cozinha – ao banheiro – à cantina)
Professora, posso ir ______________________.

19. Os alunos precisam ler muitos livros. (ao banheiro – à biblioteca – à cantina)
Eles vão ______________________.

23. Jogo das profissões.

Procure os significados das palavras do quadro de vocábulos e complete adequadamente o quadro de profissões.

QUADRO DE VOCÁBULOS

hidrante	volante	limpar	pesca	salvamento
velocidade	mangueira	animais	lata de lixo	peixe
tratar	carro	mergulhar	saúde	vassoura
dirigir	limpeza	apagar fogo	injeção	máscara

QUADRO DE PROFISSÕES

Profissões	PILOTO	LIXEIRO	BOMBEIRO	VETERI-NÁRIO	MERGU-LHADOR
Instrumentos		vassoura			máscara
Ações	dirigir				
Objetos			hidrante		
Objetivos				saúde	

TODO DIA... (EM TRIO)

24. Escreva os nomes das atividades que você já conhece.

Em seguida, leia para os seus colegas as atividades que você escreveu. Por fim, copie as atividades ainda desconhecidas lidas por seu professor.

_______________ _______________ _______________

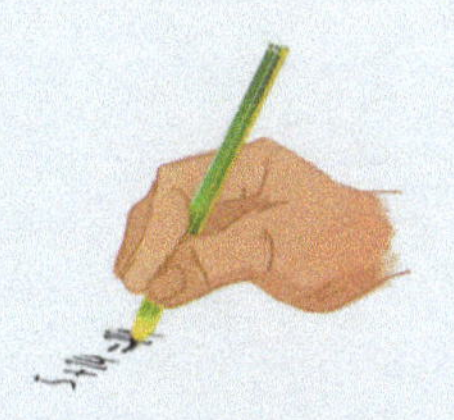

Observe as tabelas de verbos 4 e 5.

Tabela 4 Verbos regulares no presente			
Presente	**-ar**	**-er**	**-ir**
Eu	-o	-o	-o
Você Ele Ela	-a	-e	-e
Nós	-amos	-emos	-imos
Vocês Eles Elas	-am	-em	-em

Tabela 5 Verbos irregulares no presente				
Presente	**Ir**	**Fazer**	**Ler**	**Ver**
Eu	vou	faço	leio	vejo
Você **Ele** **Ela**	vai	faz	lê	vê
Nós	vamos	fazemos	lemos	vemos
Vocês **Eles** **Elas**	vão	fazem	leem	veem

25. Use a sequência das atividades diárias e conte oralmente sobre o que você faz todos os dias. (Consulte as Tabelas 4 e 5)

EXEMPLO: Todo dia de manhã, eu acordo às...

SEQUÊNCIA DAS ATIVIDADES DIÁRIAS

- Acordar às...,
- Lavar o rosto,
- Tomar banho,
- Escovar os dentes,
- Trocar de roupa e
- Tomar o café da manhã.

DEPOIS, EU...

- Ir* para a escola.

NA ESCOLA, EU...

- Esperar o sinal bater,
- Assistir às aulas,
- Escrever e
- Ler*

NA HORA DO RECREIO, EU...

- Conversar com amigos,
- Brincar de pega-pega e
- Jogar bola.

DEPOIS, EU...

- Comer um sanduíche,
- Beber um suco de... e
- Voltar para a sala.

À TARDE EU...

- Ir para casa
    - a pé
    - de ônibus, de carro, de van, de táxi, de metrô...
    - de bicicleta, de skate, de patinete, de patins...

QUANDO EU...

- Chegar em casa, eu...
- Almoçar,
- Fazer* o dever de casa e
- Brincar.

À NOITE, EU...

- Ver* televisão,
- Jogar no computador,
- Ler um livro e
- Ir* dormir.

*VERBOS IRREGULARES

26. **Escreva um texto contando o que você faz todos os dias.**

EXEMPLO: Todo dia de manhã, eu acordo às...
Observe as tabelas de verbos.

Tabela 6 Verbos Regulares no Pretérito Perfeito			
Pretérito perfeito	**-ar**	**-er**	**-ir**
Eu	-ei	-i	-i
Você Ele Ela	-ou	-eu	-iu
Nós	-amos	-emos	-imos
Vocês Eles Elas	-aram	-eram	-iram

Tabela 7 Verbos Irregulares no Pretérito Perfeito				
Pretérito perfeito	**Ir**	**Fazer**	**Ler**	**Ver**
Eu	fui	fiz	li	vi
Você Ele Ela	foi	fez	leu	viu
Nós	fomos	fizemos	lemos	vimos
Vocês Eles Elas	foram	fizeram	leram	viram

27. **Use a sequência das atividades diárias da atividade 25 e conte oralmente sobre o que você fez ontem. (Consulte as Tabelas 6 e 7)**

EXEMPLO: Ontem, eu acordei às...

28. **Escreva um texto contando o que você fez ontem.**

EXEMPLO: Ontem de manhã, eu acordei às...

Observe a Tabela 8 de verbos

Tabela 8 Verbos regulares no pretérito imperfeito			
Pretérito imperfeito	**-ar**	**-er**	**-ir**
Eu	-ava	-ia	-ia
Você Ele Ela	-ava	-ia	-ia
Nós	-ávamos	-íamos	-íamos
Vocês Eles Elas	-avam	-iam	-iam

Tabela 9 Verbos irregulares no pretérito imperfeito				
Pretérito imperfeito	**Ser**	**Ter**	**Ler**	**Ver**
Eu	era	tinha	lia	via
Você Ele Ela	era	tinha	lia	via
Nós	éramos	tínhamos	líamos	víamos
Vocês Eles Elas	eram	tinham	liam	viam

Quando eu era menor... Quando eu morava em...

29. **Use a sequência das atividades diárias da atividade 25 e conte oralmente sobre o que você fazia todos os dias *quando era menor* ou *quando morava em outro país*. (Consulte a Tabela 3.)**

EXEMPLO: Quando eu era menor, eu sempre acordava às...

30. **Escreva um texto contando o que você fazia quando era menor.**

EXEMPLO: Quando eu era menor, eu acordava às...

BIOGRAFIA

(de pais, de avós ou de ídolos)

31. Escolha um casal de sua preferência e faça uma biografia, de forma que os seguintes itens sejam mencionados em seu texto:

CONTEÚDO

- Nome;
- Data e local de nascimento;
- Vida escolar;
- O que faziam quando eram crianças (de que brincavam, aonde iam);
- Fatos interessantes sobre sua vida;
- O que e onde estudaram;
- Como e onde se conheceram;
- Quando foram morar juntos;
- Onde estão agora?

ESTRUTURA DO TEXTO

- Título;
- Iniciar a trajetória de vida de um dos parceiros;
- Depois, do outro;
- Dizer como se conheceram;
- E como e onde vivem atualmente.

CELEBRIDADES BRASILEIRAS (PESQUISA)

32. Complete o quadro dando informações a respeito de celebridades conhecidas (pesquisadas) por você.

Informações obrigatórias: nome, imagem, local e data de nascimento (falecimento, se for o caso), os principais casos que marcaram sua vida e por que ficou conhecido.

1. Um jogador de futebol	Nome: ______________________________ Informações:

2. Uma cantora	Nome: ___ Informações:
3. Uma jogadora de futebol	Nome: ___ Informações:
4. Um escritor	Nome: ___ Informações:
5. Uma personagem de HQ	Nome: ___ Informações:

6. Uma modelo de moda	Nome: ______________________ Informações:
7. Um cantor	Nome: ______________________ Informações:
8. Um corredor de Fórmula 1	Nome: ______________________ Informações:

- Ler cada um dos itens e verificar se houve coincidência na escolha das celebridades.
- Verificar se há informações diferentes sobre a mesma celebridade.
- Cada aluno deve eleger a celebridade que achou mais interessante e dizer por quê.

33. Esportes radicais. Observe os dois quadros e depois responda.

QUADRO 1 Antigamente...

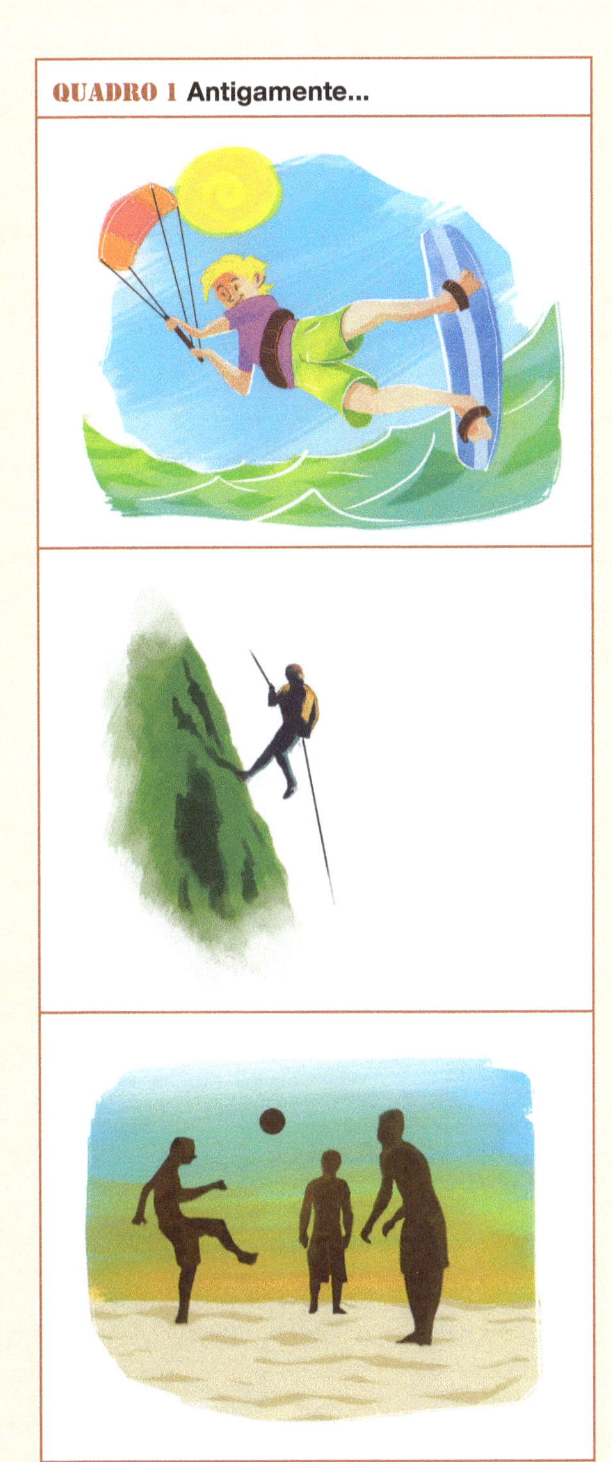

QUADRO 2 Hoje em dia...

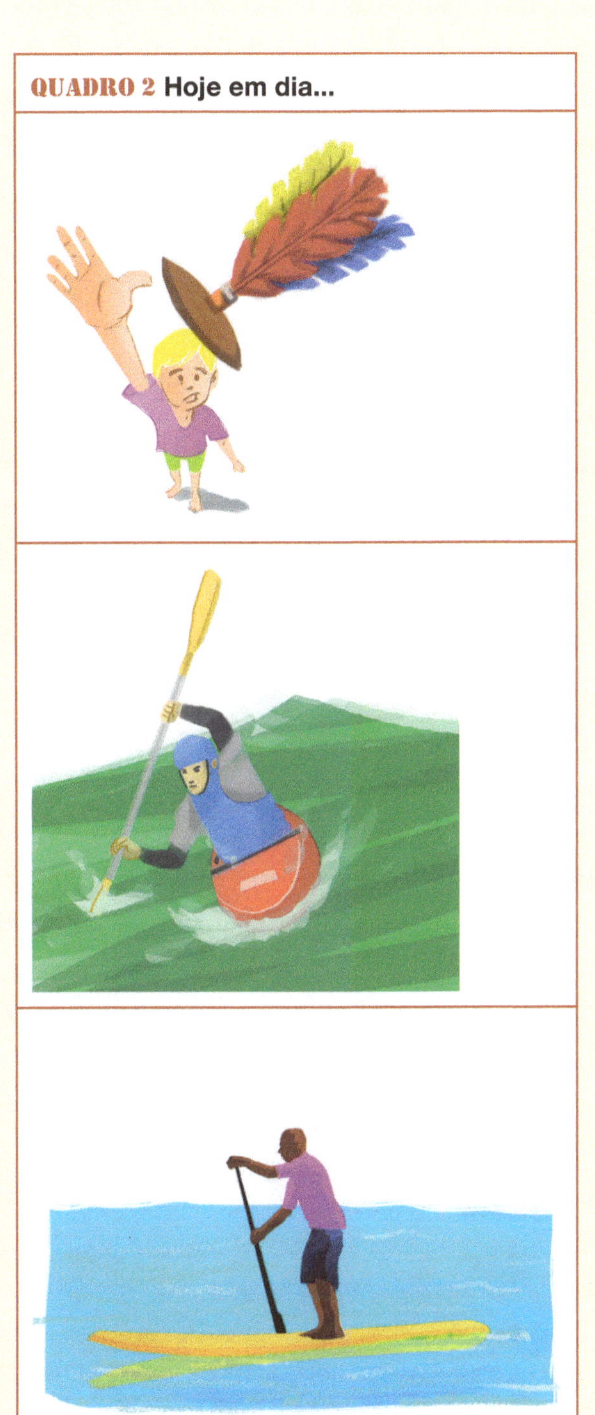

Compare os dois quadros, com base no seguinte modelo:

1. Antigamente, André voava de asa-delta. Hoje em dia ele joga frescobol na praia.

2. ____

3. ____

4 . ____

5. ____

O GATO DE BOTAS — LEITURA DRAMATIZADA

CENA 1 – NO SÍTIO

Gato: — Posso saber o motivo do choro?

Ronaldo: — Ai, que susto! Não sabia que você falava.

Gato: — Falamos quando queremos. Mas e aí? Qual é o motivo da choradeira?

Ronaldo: — Você ainda pergunta? Primeiro, meu pai morre; depois vem o juiz e diz que meu pai deixou o moinho para meu irmão mais velho; meu irmão do meio ficou com o burro; e o que me sobra? Um gato tagarela.

Gato: — Mas você é um sortudo.

Ronaldo: — Sortudo? No máximo, eu vou tirar sua pele para fazer um tamborim para brincar no carnaval da Bahia.

Gato: — Nem pensar. Se você me deixar viver, eu vou fazer você ficar rico.

Ronaldo: — Duvido, Negro Gato.

Gato: — Em primeiro lugar, eu preciso de uma bota.

Ronaldo: — Então vamos lá na Baixa do Sapateiro, que eu vou mandar fazer um par de botas iradas para você.

Horas depois...

Gato: — Ficou irada mesmo. Agora me arruma um saco que eu vou caçar perdizes.

Ronaldo: — Caçar perdizes com saco? Tá maluco, gato? Nem os caçadores do rei estão conseguindo pegar perdizes no mato. Aliás, perdizes... o prato predileto do rei.

Gato: — Pois é, vou encher o saco de milho. Quando chegar no mato, derramamos um pouco de milho pelo chão; quando as perdizes entrarem no saco para comer o milho, eu fecho o saco com esse cordão.

Ronaldo: — Puxa, você não é burro não.

CENA 2 – NO PORTÃO DO PALÁCIO

Guarda: — Quem és? De onde vens? O que queres aqui?

Gato: — Eu sou o emissário do Conde do Engenho Novo das Alagoas. Venho do castelo do conde e gostaria de falar com o rei, por gentileza.

Guarda: — Mas és um gato. Por que não mias?

Gato: — Deixa de história e deixe-me entrar! Trago assuntos do interesse do rei.

Guarda: — E o que trazes nesse saco?

Gato: — Perdizes para o soberano.

Guarda: — Perdizes...? Por que não disseste logo? O rei adora perdizes. Vem comigo!

Gato: — Até que enfim!

Guarda: — Vossa Majestade, aqui está o emissário do Conde do Engenho Novo das Alagoas. Ele traz perdizes para Vossa Majestade.

Rei: — Perdizes? Eu adoro perdizes com batatas!

Gato: — É um presente do meu senhor, o Conde do Engenho Novo das Alagoas.
Rei: — Há meses que nossos melhores caçadores não conseguem me trazer uma única perdiz. Muito obrigado, Sr. Gato.
Gato: — É um grande prazer servi-lo, Majestade.
Rei: — Guardas, deem um saco de ouro para o Sr. Gato em agradecimento! Cozinheira, leve o Sr. Gato para a cozinha e dê-lhe uma lata de sardinha e depois prepare-me um bom prato de perdizes com batatas!

CENA 3 – NA COZINHA

Gato: — Puxa, cozinheira, você é uma "gata". Posso saber como é seu nome?
Marina: — Marina. E você é um gato de verdade.
Gato: — É verdade, eu sou um gato de verdade.
Marina: — E qual é o seu nome?
Gato: — Ronaldo Lapa, mas pode me chamar de Ron-Ron.
Marina: — Combina com você.
Gato: — Você não gostaria de passear pelo jardim do castelo hoje à tarde?
Marina: — Hoje não posso, Ron-Ron, porque tenho que preparar um lanche para o passeio real. O rei e a princesa vão conhecer as redondezas do palácio.
Gato: — Ah, que bom! E você sabe até onde eles vão?
Marina: — Sei. Primeiro, eles vão passar pelo enorme descampado do Grande Feiticeiro; depois passam pela lagoa do Abaeté; e, finalmente, vão até o grande palácio do outro lado do rio para conhecer o dono de todas as terras vizinhas.
Gato: — Humm, tive uma ideia! Então, preciso sair imediatamente. Tenho muito que fazer. Até amanhã, "gata".

CENA 4 – DE VOLTA AO SÍTIO

Ronaldo: — E aí, gato? Estou mais pobre do que nunca. Gastei meu último centavo com a bota que você me pediu.
Gato: — Não me chame mais de gato. Agora, eu me chamo Ronaldo Lapa. E o senhor é o Conde do Engenho Novo das Alagoas. E esse saco de ouro é seu.
Ronaldo (conde): — Conde de quê? Saco de quê? Não estou entendendo mais nada.
Gato: — Não precisa entender nada. Precisamos nos apressar. Pegue o burrico do seu irmão emprestado que precisamos fazer uma pequena viagem.

NO DESCAMPADO

Ronaldo (conde): — Estamos no descampado do Grande Feiticeiro. Veja os camponeses trabalhando.
Gato: — Sim, e preciso falar com eles. Ei, camponeses!
Camponeses: — Sim, gato.
Gato: — Sabe de quem são estas terras sem fim?
Camponeses: — Claro, elas pertencem ao Grande Feiticeiro.
Gato: — Não diga isso, senão uma grande desgraça vai chegar a você. De agora em diante, esta terra pertence ao Conde do Engenho Novo das Alagoas.
Camponeses: — Oh, sim, Sr. Gato falante.
Gato: — Agora, vamos até a lagoa do Abaeté.

NA LAGOA

Ronaldo (conde): — Veja, lá está a lagoa.

Gato: — É. Vai tirando a roupa e entrando nela.

Ronaldo (conde): — Ficou maluco, gato? Vou ficar pelado na lagoa? E se alguém passar?

Gato: — Ninguém vai passar aqui. Só o rei, a princesa e a sua comitiva.

Ronaldo (conde): — Espero que você saiba o que está fazendo.

Gato: — Claro que sei. Quando entrar na carruagem do rei, convide-o para conhecer o Castelo do Abaeté e diga que ele é seu. O resto... deixa comigo.

CENA 5 – NO DESCAMPADO

Rei: — De quem é este descampado tão lindo?

Camponeses: — O descampado é do Conde do Engenho Novo das Alagoas.

Rei: — Puxa, o Conde é muito gentil e muito rico também. Seria um ótimo noivo para você.

Princesa: — Nem pensar. Ele deve ser velho e barrigudo.

Rei: — Ele pode ser velho e barrigudo, mas é rico. Já estamos perto da lagoa.

Princesa: — Olhe, papai! Não é o Ron-Ron?

Rei: — Sim, o que ele está fazendo à beira da lagoa? Gatos odeiam água.

Gato: — Socorro! Socorro! Fomos assaltados. Roubaram a roupa do Conde do Engenho Novo das Alagoas.

Rei: — Parem a carruagem! Tragam uma bela roupa para o conde e mande-o sentar ao nosso lado, na carruagem.

Ronaldo (conde): — Quanta honra, Majestade!

Princesa: — Puxa, conde, você é muito diferente do que eu imaginava!

Ronaldo: — Alteza, você é ainda mais linda pessoalmente.

CENA 6 – NO CASTELO DO ABAETÉ

Grande Feiticeiro: — O que você quer comigo, gato?

Gato: — É um grande prazer conhecer o maior feiticeiro do mundo.

Grande Feiticeiro: — Obrigado, gato. Quer beber alguma coisa?

Gato: — Não, obrigado. Na verdade, sempre ouço sobre como você é um ótimo mágico e fico me perguntando se um mágico como você pode transformar-se mesmo em qualquer coisa.

Grande Feiticeiro: — Em que você quer que eu me transforme? Fale logo, gato!

Gato: — Em elefante?

Grande Feiticeiro: — Não sou linha nem barbante, quero ser um elefante.
Gato: — Nossa! Um elefante de verdade. Será que você também poderia se transformar em algo pequeno, como... deixa eu ver... um camundongo?
Grande Feiticeiro: — Não sou curto nem sou longo, quero ser um camundongo.
Gato: — Um camundongo apetitoso! Agora eu vou comer você. E o castelo será do Conde do Engenho Novo das Alagoas.

CHEGA A CARRUAGEM DO REI

Gato: — A carruagem do rei chegou. Bem na hora.
Ronaldo (Conde): — Uma grande honra recebê-los em meu castelo, Majestade.
Rei: — Também estou muito satisfeito. Quero que você se case com a princesa. Assim, quando eu morrer, você será o novo rei de todas estas terras.
Ronaldo: — E eu vou nomear Ron-Ron meu primeiro ministro. E todos, menos o Grande Feiticeiro, viverão felizes para sempre.

34. Perguntas sobre a história.

1. Elabore dez perguntas sobre o texto e leia-as para que seu colega as responda e vice-versa. (em dupla).
2. Compare suas perguntas e respostas com as de outra dupla.
3. Você já conhecia essa história?
4. Quais são as diferenças entre esta e a versão que você conhecia.
5. O que você acha sobre as atitudes do Gato de Botas?
6. E do seu dono?

35. Que adjetivos podemos usar para os seres?

O adjetivo pode ser repetido, desde que seja adequado. Vence o participante que usar dois adjetivos para cada item. Quando necessário, passe-o para o feminino.

comportado / sem sal / luxuoso / moderno / cru / aquático / forte / vazio / divertido / mágico / largo / ruim / quebrado / proibido / lento / caríssimo

JOGO	PARQUE	CHURRASCO	JOGADOR	IATE
______	______	______	______	______
______	______	______	______	______
______	______	______	______	______
______	______	______	______	______
______	______	______	______	______

36. Quebra-cabeça (postal) ou cartões de vocabulário.

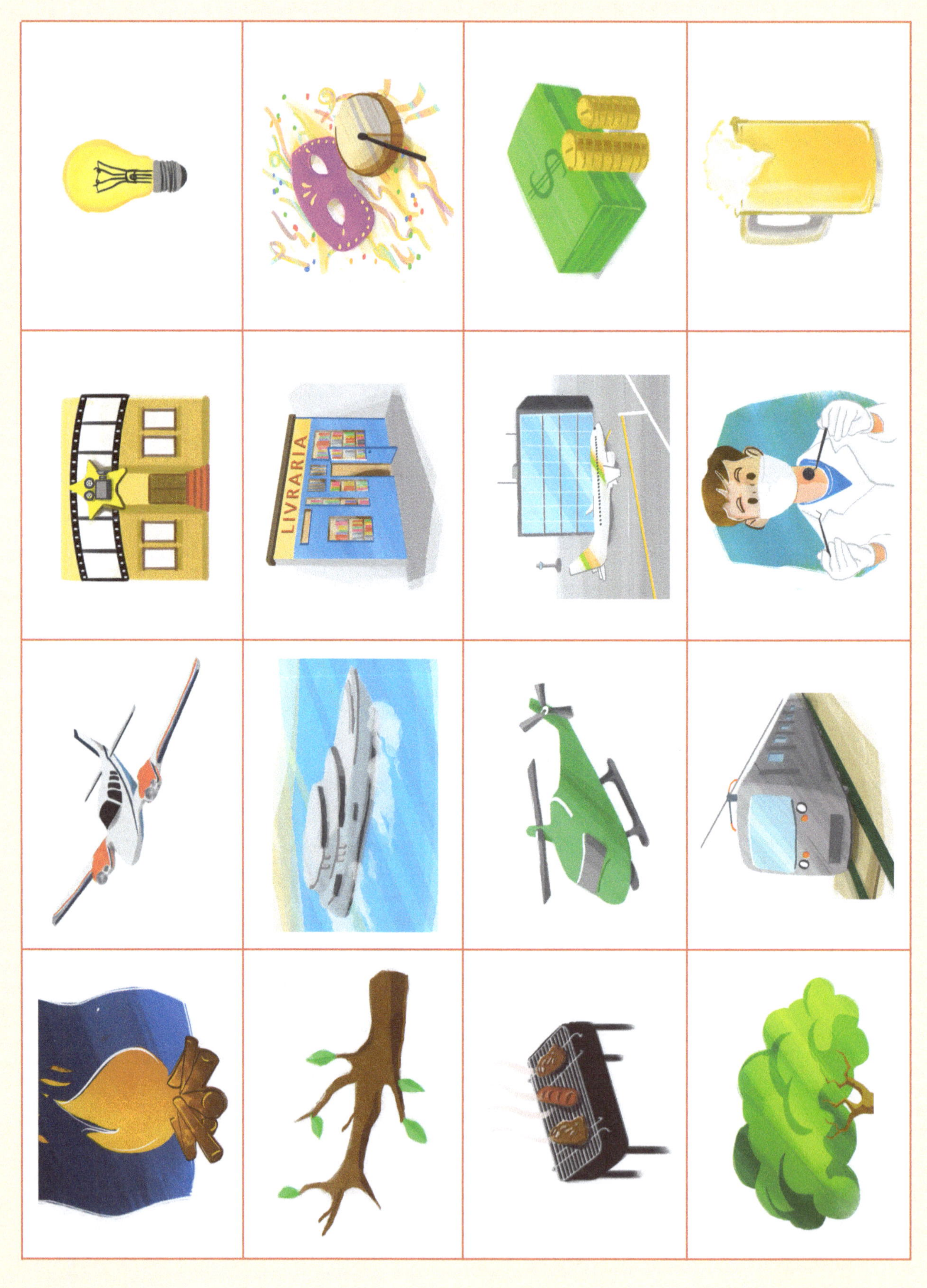

37. Música.

Escravos de Jó (versão Zambelê), parlenda de tradição oral, usada em brincadeira de rua.

ESCRAVOS DE JÓ

Escravos de Jó jogavam caxangá
Escravos de Jó jogavam caxangá.
Tira, bota, deixa o Zambelê ficar...
Guerreiros com guerreiros fazem zigue, zigue, zá
Guerreiros com guerreiros fazem zigue, zigue, zá.

Histórias e opiniões

Fábulas, lendas, narrações e leituras dramatizadas

O SAPO REI E A PRINCESA QUE DEIXOU A PETECA CAIR

Era uma vez um rei que tinha muitas filhas, todas bonitas, mas a **caçula** era a mais bonita de todas. Ela era mesmo linda e se chamava Isabel. Todos no palácio faziam tudo o que ela queria, por isso a menina ficou muito mal-acostumada, **mimada**:

— Que menina linda! Você é a menina mais bonita do reino!

— Oi, princesa Isabel, Vossa Alteza gostaria de um picolé?

— Vossa Alteza gostaria de uma fruta?

— Vossa Alteza gostaria de uma maçã?

— Vossa Alteza gostaria de uma banana?

Toda manhã, ela ia para o bosque **em torno** do palácio para jogar sua peteca de penas coloridas de aves raras. Ela jogava a peteca para cima e depois corria para apanhá-la. Era sua brincadeira favorita. Mas uma vez, Isabel deixou a **peteca** cair num poço **imundo** e profundo. Então, a princesa muito, muito bonita ficou muito, muito triste e começou a chorar.

— Buáááá, eu quero minha peteca.

Um sapo ouviu o choro da menina e saiu de dentro de uma poça e perguntou:

— Por que você está chorando, filha do rei?

— É que eu deixei a minha peteca cair dentro do poço imundo e profundo, respondeu a linda princesa tristemente.

— Isto não é problema para nós. Eu posso pegar sua peteca. Mas o que eu vou ganhar com isso?

— O que você quiser: meu colar de pérolas, minhas pedras preciosas, até esta minha **coroa** de ouro.

— Obrigado, filha do rei, mas nada disso me interessa. Eu só quero ser seu amigo, quero brincar com você, quero comer ao seu lado. Usar seu pratinho dourado, seu garfinho dourado, sua colherzinha dourada, sua xicrinha dourada e seu copinho dourado — disse o sapo com olhar sonhador.

— Mas nem que a vaca tussa.

— O quê? "Nem que a vaca tussa?"

— Não, não, senhor Sapo da Poça. Eu não disse "**nem que a vaca tussa**." Eu disse "**que a faca é tua**." É tudo seu: prato, faca, garfo, colher, xícara, copo...

Assim, o sapo logo pulou até a beira do poço e de lá mergulhou na água e, em pouco tempo, trouxe-lhe sua peteca de penas coloridas de aves raras. Mas a princesa não quis **cumprir a sua promessa**; não queria levar aquele bicho que ela achava muito, muito feio, e nojento, e cabeçudo para a sua casa.

Depois de brincar bastante com sua peteca, Isabel foi para casa rapidamente. O sapo mal podia **acompanhá-la**. Ao chegarem à porta do palácio, os dois começaram a discutir e a gritar muito alto.

O rei ouviu a confusão e veio até a janela e perguntou zangado:

— Que barulho é esse aí?

A mimada menina contou tudo ao pai. O rei, ainda **com raiva**, disse para a filha:

— Uma princesa tem que **cumprir suas promessas**. Sempre! Deixe o sapo entrar!

A princesa ficou **roxa (de raiva)**, mas tinha que **obedecer a** seu pai. Por isso ela ficou o dia todo com aquele bicho muito, muito feio e nojento e cabeçudo. Teve até que almoçar ao seu lado. Argh!

Quando anoiteceu, o sapo disse que queria dormir na sua caminha dourada. Aí a princesa não aguentou mais e **perdeu as estribeiras**; pegou o Sapo da Poça pelas pernas e jogou-o com toda sua força contra a parede.

— **Ploc!**

Neste momento, o sapo feio, nojento e cabeçudo transformou-se em um jovem belo e sarado. A princesa levou um susto tão grande que quase desmaiou.

— Ah, que susto! Acho que vou desmaiar.

— Não se assuste, princesa! E contou-lhe toda a sua história:

— Uma bruxa má me transformou em sapo. Ela disse que eu só voltaria a ser rei quando uma linda menina me tocasse.

A princesa apresentou seu rei para o seu pai, e eles se casaram e viveram felizes para sempre. E nunca mais deixaram a peteca cair.

VOCABULÁRIO E EXPRESSÕES

- "**deixar a peteca cair**" – expressão que significa falhar, errar, desistir
- **caçula** – o filho mais novo
- **em torno** – em volta
- **mimada** – todos fazem o que ela quer
- **perder as estribeiras** – perder o controle
- **peteca** – um jogo inventado pelos índios brasileiros
- **imundo** – muito sujo
- **coroa** – o que o rei, a rainha, o príncipe e a princesa usam na cabeça
- **nem que a vaca tussa** – de jeito nenhum
- **cumprir a sua promessa** – fazer algo que se diz que vai fazer
- **acompanhá-la** – ir junto com ela
- **com raiva** – zangado

1. Responda com frases completas.

1. Como se chamava a princesa?
   Resposta: ____
   ____

2. Qual era o brinquedo favorito da princesa?
   Resposta: ____
   ____

3. Por que a linda menina ficou triste?
   Resposta: ____
   ____

4. Quem mergulhou no poço?
   Resposta: ____
   ____

5. O que a princesa ofereceu primeiro para o sapo pegar a peteca?
   Resposta: ____
   ____

6. Ele aceitou? Por quê? O que ele queria?
   Resposta: ____
   ____

7. A princesa cumpriu sua promessa? Por quê?
   Resposta: ____
   ____

8. Por que o sapo se transformou em rei?
   Resposta: ____
   ____

2. Dê sua opinião.

1. Você acha importante uma pessoa cumprir suas promessas? Por quê?
   Resposta: ____
   ____

2. Você conhece alguém que não cumpriu sua promessa? Como foi a situação?
   Resposta: ____
   ____

3. Você já perdeu um objeto de que você gostava muito? Como foi?
   Resposta: ____
   ____

4. Se você fosse a princesa, você levaria o sapo para brincar em sua casa?
   Resposta: ____
   ____

5. Você acha certo pedir algo em troca para alguém que precisa de sua ajuda? Comente.
   Resposta: ____
   ____

3. Pesquise.

- Procure a origem da peteca.
- "Deixar a peteca cair". Crie uma situação, usando essa expressão adequadamente.
- Procure a diferença entre estas palavras muito parecidas: poço/poça; passo/passa; pato/pata; torto/torta; bolo/bola.

4. Desafio. Vamos fazer uma peteca?

- Na internet, há muitas sugestões para fazer peteca com material reciclável (jornal, sacola plástica etc.). Use sua imaginação e faça sua própria peteca.

5. Jogo.

Vamos jogar peteca?

- Faça uma peteca para brincar com seus colegas. Quem deixar a peteca cair fica fora da brincadeira.

6. Complete a frase marcando com um x a lacuna.

1. A princesa achava que o sapo era...
   ( ) muito zangado ( ) muito feio ( ) muito chorão
2. A princesa era muito...
   ( ) zangada ( ) muito mimada ( ) muito bonita
3. O poço era muito...
   ( ) raso ( ) profundo ( ) claro ( ) escuro
4. E você, qual é o seu brinquedo preferido?
   ( ) bola ( ) boneca ( ) videogame ( ) cartas
   ( ) ______________________________
5. Qual é o seu animal preferido?
   ( ) cavalo ( ) leão ( ) sapo ( ) cachorrinho ( ) passarinho

Tabela 1 Verbos regulares no pretérito perfeito

Pronomes	Acordar	Responder	Ouvir
Eu	acord**ei**	respond**i**	ouv**i**
Você Ele, ela	acord**ou**	respond**eu**	ouv**iu**
Nós	acord**amos**	respond**emos**	ouv**imos**
Vocês Eles, elas	acord**aram**	respond**eram**	ouv**iram**

7. **Complete com a terminação correta.**

Pronomes	Gostar	Correr	Discutir
Eu	Gost......	Corr.........	Discut..........
Você Ele, ela	Gost.........	Corr.......	Discut..........
Nós	Gost........	Corr.......	Discut..........
Vocês Eles, elas	Gost.......	Corr.......	Discut.......

8. **Responda, usando sempre os verbos.**

1. Você achou essa história legal ou chata?
2. De que personagem você gostou mais?
3. A história começou bem?
4. A história acabou bem ou mal?
5. Você já leu uma história que você adorou? Qual foi?
6. Alguém já leu uma história para você? Quem?
7. Você já dormiu no meio de uma história?
8. Você já escreveu uma história?

9. **Complete com a forma correta.**

1. A princesa ______________________________ a peteca cair no poço escuro e profundo.
   (deixei - deixou)
2. O sapo ______________________________ na água.
   (mergulhei - mergulhou)
3. O sapo ______________________________ a menina chorar.
   (ouvi - ouviu)
4. O rei ______________________________ que estava zangado.
   (disse - dissemos)
5. A princesa ______________________________ com o sapo.
   (concordei - concordou)
6. Nós ______________________________ esse conto.
   (adoramos - adoraram)
7. As princesas sempre se ______________________________ no final.
   (casamos - casaram)
8. A princesa ______________________________ sua promessa.
   (cumpri - cumpriu - cumprimos - cumpriram)

10. **Use verbos adequados no pretérito perfeito.**

1. Os dois ______________________________ a discutir.
2. Eles ______________________________ felizes para sempre.
3. A menina ______________________________ tudo para o pai.

4. A princesa ______________________ ao seu pai.
5. As bruxas ______________________ os príncipes em sapos.
6. As princesas ________________ os príncipes e eles se ________________ em sapos.
7. Os noivos ______________________ em lua de mel.
8. Todos ______________________ a música da festa do palácio.

11. **A lista de casamento. A princesa, que não era boba nem nada, organizou uma lista de presentes de casamento. E se essa lista fosse organizada hoje, quais seriam os presentes equivalentes?**

Alguns presentes antigos	Seus equivalentes modernos
1. Uma carruagem dourada para duas pessoas com quatro cavalos brancos.	
2. Um colar de pérolas e um anel de brilhante.	
3. Uma baixela completa (com pratos, xícaras e copos).	
4. Dois faqueiros — um de ouro e outro de prata (com facas, garfos, colheres etc.).	
5. Dois mensageiros.	
6. Uma orquestra completa.	
7. Uma companhia de teatro.	
8. Um bobo.	
9. Leques chineses.	
10. Chapéus.	

12. **Escreva agora <u>a sua lista</u> de presentes.**

O QUE VOCÊ GOSTARIA DE GANHAR?

1.
2.
3.
4.
5.
6.
7.
8.
9.
10.

LOUÇA E TALHERES

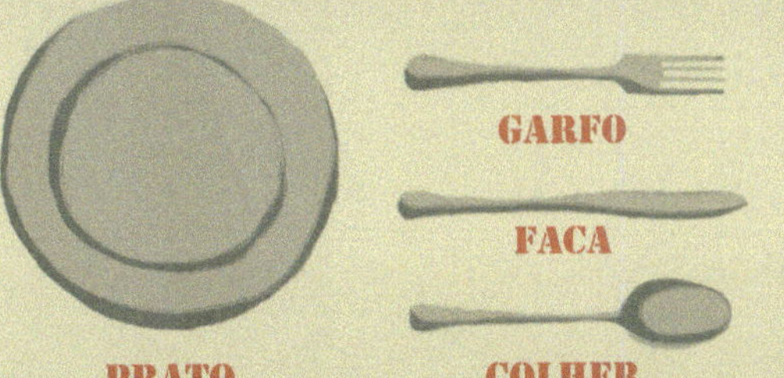

13. Responda.

— Do que você precisa para comer uma pizza?
____

— Do que você precisa para beber um refrigerante? ____________________

— Do que você precisa para tomar uma sopa?
____

— Do que você precisa para tomar chocolate quente? ____________________

— Do que você precisa para cortar o pão?
____

— Do que você precisa para comer um sanduíche? ____________________

A CARTA DO MINISTRO

Depois do casamento, o pai da princesa recebe a seguinte carta do Primeiro-Ministro de um reino próximo:

A Sua Majestade, Dom Pedro Único

Há muitos meses, estamos muito tristes e preocupados porque nosso rei desapareceu misteriosamente. Depois do desaparecimento, os soldados não querem mais tomar conta do palácio, os professores não querem mais dar aulas, os mecânicos não querem mais consertar as carruagens, os cozinheiros não querem mais fazer a comida, os agricultores não querem mais plantar e os bobos não querem mais contar coisas engraçadas. É uma tristeza.

Alguns dizem que nosso rei foi enfeitiçado por uma bruxa, mas como os guardas não querem prender ninguém, não sabemos o que fazer. Por isso pedimos a Vossa Majestade que nos ajude a encontrar o nosso rei.

Primeiro-Ministro Isaquis
Reino Distante, 25 de janeiro de 1789.

14. Escreva uma carta.

Coloque-se no lugar do rei e escreva uma carta ao Primeiro-Ministro, contando toda a história, tudo o que aconteceu com o Sapo Rei.

15. Entrevista.

Depois do casamento, a princesa foi morar no outro reino e, um dia, foi **entrevistada por uma repórter.**

Repórter: — Boa-noite, Sra. Princesa. É verdade que a senhora era muito mimada?
Princesa: — Boa ______________________. Eu era muito mimada porque...
Repórter: — Como a senhora conheceu o príncipe?
Princesa: — Eu estava brincando com...
Repórter: — O que a senhora mais gosta de fazer agora?
Princesa: — Eu adoro...
Repórter: — O que o seu marido faz o dia todo?
Princesa: — Nós temos muitas terras e ele precisa...
Repórter: — Que bom! Muito obrigado pela entrevista.

O SAPO CABEÇUDO

16. Personagens.

O sapo é cabeç***udo*** porque tem uma cabeça grande. E como são estas personagens?

Pessoa ou animal com orelha grande	Ele é ______________________.
Cabelo grande	
Com muito pelo	
Peito grande	
Barriga	
Bunda	
Nariz*	
Dente*	

*irregulares

17. A princesa e o sapo. (Em grupo)

É verdade! (V)　　　　**É mentira!** (M)

1. A princesa era muito nariguda e feia. ( )
2. O sapo era cabeludo e bundudo. ( )
3. O rei era cabeçudo. ( )
4. A princesa não gostava do sapo cabeçudo, depois começou a gostar dele. ( )
5. As meninas do palácio beijavam sapos para transformá-los em príncipes. ( )
6. Eu acho legal os pais fazerem tudo o que os filhos querem. ( )

7. Eu acho errado uma pessoa pedir uma coisa em troca para ajudar alguém. ( )
8. Eu não acho que Isabel era má. ( )
9. Eu acho mais importante ter amigos do que ter muitos brinquedos. ( )
10. Essa história é muito chata. ( )
11. Eu acho importante obedecer aos pais. ( )
12. Eu sou muito mimado, porque meus pais fazem tudo o que eu quero. ( )
13. O rei ficou com raiva porque a princesa mentiu para o sapo. ( )
14. Eu também odeio mentiras. ( )
15. Eu nunca menti para a minha mãe. ( )

18. Complete a história com base nas imagens.

ERA UMA VEZ...

Era uma vez ___________ ___________ que
se ___________ Anita.
Ela ___________ muito ___________ e
___________ se balançar.

A bela ___________ ___________ em uma ___________ antiga.
Em volta, havia muitas ___________ que sempre davam frutas.

Seu pai ___________ um ótimo ___________ . Ele ___________ em
um ___________ famoso na cidade.
Sua ___________ também ___________ . Ela ___________ costureira.
Fazia ___________ muito bonitas e ___________ um bom dinheiro com
as costuras.
Ela ___________ uma máquina de costura bem moderna e ficava
trabalhando a tarde toda.
Anita tinha muitos ___________ em sua casa. Mas gostava mesmo
de brincar com seu ___________ .
Ele se ___________ Minhom e ___________ muito bagunceiro.
Ele ___________ a linha de sua mãe e aprontava uma verdadeira confusão.

Um dia, Minhom desapareceu, sumiu. Anita chamou por seu nome, gritou e gritou e
nada de Minhom. Anita procurou em todos os quartos, procurou na sala, ___________
no quintal, ___________ em cima das árvores e ___________. A pobre ___________
sem ___________ de encontrar seu ___________ começou a chorar. Sua ___________
parou de costurar, mas também não sabia mais onde ___________ .

À noite, porém, chegou seu ___________ e perguntou o motivo daquela ___________.
As duas ___________ tudo ao pai, que logo teve uma ideia: foi até a cozinha,
pegou um ___________ e ficou andando pela ___________ chamando o ___________ .

Não demorou muito, e o __________ apareceu. Ele saiu de dentro do cesto de linhas da __________ de Anita e correu com água na boca atraído pelo __________ do __________ que o __________ de Anita tinha na mão.

A partir daquele dia, Anita nunca mais se preocupou quando seu__________ desaparecia.

CINDERELA

Cinderela. Leitura dramatizada.
Esquete para ser apresentado por cinco crianças.

Personagens: Cinderela / Madrasta / Mensageiro / Fada / Príncipe / Duas irmãs feias (podem ser representadas por um desenho engraçado)

Objetos sugeridos: (Cinderela) lenço na cabeça, vestido bonito, balde de limpeza, coroa de princesa; (Mensageiro) chapéu, cartolina enrolada como mensagem do rei; (Madrasta) máscara para o baile; (Príncipe) coroa, vassoura voadora, cartão de crédito muito grande feito de cartolina; (Fada) chapéu de fada, varinha mágica, bola dourada.

CENA 1

Na casa de Cinderela
Madrasta: — Cinderela! Cinderela! Vem aqui!
Cinderela: — Sim, senhora. Sim, senhora.
Madrasta: — Presta atenção! **Primeiro, você vai** limpar o chão, **depois você vai** lavar roupa, lavar os pratos, catar lenha e cozinhar. Entendeu?
Cinderela: — Sim, senhora. Sim, senhora!
Madrasta: — Quando acabar, arrume toda a casa!
Cinderela: — Sim, senhora. Sim, senhora.

CENA 2

O mensageiro traz convites para o baile
Mensageiro do rei: — Toc! Toc! Toc! Não tem ninguém em casa?
Cinderela: — Pode entrar!
Mensageiro do rei: — Boa tarde.
Cinderela: — Boa tarde. Quem é você? O que você quer?
Mensageiro do rei: — Eu sou o mensageiro do rei. Eu quero falar com a dona da casa.
Cinderela: — **Massageiro**? Você faz **massagens** no rei?
Mensageiro do rei: — **Men-sa-gei-ro**. Eu trago **men-sa-gens** do rei.

Cinderela: — Ah bem... Senhora! Senhora!
Madrasta: — Não precisa gritar. Eu não sou surda. Quem é você? O que você quer?
Mensageiro: — Eu sou o mensageiro do rei.
Madrasta: — **Massageiro**? Você faz **massagens** no rei?
Mensageiro: — Eu sou o **men-sa-gei-ro** do rei. Eu trago **men-sa-gens**.
Madrasta: — O que você quer?
Mensageiro: — O rei procura uma **noiva** para o príncipe. Todas as moças vão à festa do príncipe.
Madrasta: — Eu tenho duas filhas lindas. O príncipe pode se casar com as duas.
Mensageiro: — Que maluquice é essa?! O príncipe só vai se casar com uma**: a mais bonita**.
(*Olhando para a Cinderela - Cinderela pisca para a plateia.*)
Madrasta: — Vai trabalhar, fofoqueira!

CENA 3

A fada consola Cinderela
Cinderela: — Buááááá!
Fada: — Por que você está chorando?
Cinderela: — Porque eu não posso ir à festa do príncipe. Sniff!
Fada: — Mas é claro que você pode ir. **Todas** as moças vão à festa do príncipe.
Cinderela: — Mas eu não tenho roupa, não tenho sapatos, não tenho carro.
Fada: — Isso não é problema. Tem roupas muito baratas no camelô.
Cinderela: — Mas o palácio é muito longe. Não tem van para lá.
Fada: — Isso também não é problema. Eu arrumo uma **vassoura** de bruxa para você.
Cinderela: — Que legal! Que legal!

CENA 4

O príncipe brinca no bosque com sua vassoura voadora
Fada: — Buááááááááááááá!
Príncipe: — Hei, gata, por que você está chorando?
Fada: — É que minha bola dourada caiu dentro do poço.
Príncipe: — Ué, será que entrei na história errada? Bem, mas isso não é problema. Eu vou pegar sua bola no poço.
Fada: — Você pode me ajudar?
Príncipe: — Claro, eu vou entrar no poço e pegar a sua bola.
Fada: — Oh, príncipe, você é um amor.
(*Enquanto o príncipe vai pegar a bola, a fada desaparece com sua vassoura voadora.*)
Príncipe: — Para onde foi aquela menina? E a minha vassoura?

CENA 5

A fada leva a roupa para Cinderela
Fada: — Aqui está o seu vestido.
Cinderela: — Puxa, que vestido legal! E uma vassoura voadora!
Fada: — O vestido, eu comprei no camelô; a vassoura, eu peguei "emprestada" do príncipe.
Cinderela: — Que coisa feia, fada!

Fada: — Tanto faz, você vai casar com ele mesmo.
Cinderela: — Adorei o sapato.
Fada: — Mas não esqueça, a vassoura só funciona até a meia-noite.
Cinderela: — Tudo bem.

CENA 6

Cinderela chega ao baile do palácio
(*Música triste — Cinderela chega de vassoura voadora.*)
Cinderela: — Que festa chata! Será que alguém morreu?
Bela adormecida: — Não, eu sou a Bela Adormecida. Aaah, que sono!
Cinderela: — Vou mudar essa música. (*Entra rock e todos dançam.*)
Bela adormecida: — Que barulho! Vou dormir na cozinha.
Príncipe: (óculos de coração) — Que menina irada!
Príncipe: — Vamos dançar, gata?
Cinderela: — Vamos, mané.
Príncipe: — Você mora perto daqui?
Cinderela: — Não, eu moro no Méier.
Príncipe: — É perto de Copacabana?
Cinderela: — Não sei. Nunca fui a Copacabana.

CENA 7

O príncipe dança com Cinderela
Cinderela: — Adorei dançar com você.
Príncipe: — Você dança muito bem.
Cinderela: — Eu danço todo dia com a minha vassoura.
Príncipe: — Peraí, essa vassoura é minha.
Cinderela: — Tudo bem. Me espera aqui, que eu já volto.
Príncipe: — Tá legal.
(*Cinderela dá no pé, mas deixa um pé de sapato*)
Príncipe: — Mensageiro!!!!!
Mensageiro: — Sim, Alteza.
Príncipe: — Faz uma massagem.
Mensageiro: — Mas eu não sou massageiro. Eu sou mensageiro.
Príncipe: — E eu sou o príncipe. Faz logo uma mensagem!
Mensageiro: — Sim, alteza! Sim, alteza!
Príncipe: — Aquela tal de Cinderela levou minha vassoura voadora.
Mensageiro: — O senhor é muito bobo.
Príncipe: — Não fala assim com seu príncipe, **massageiro**.
Mensageiro: — Olha, Alteza! Ela deixou um pé de sapato.
Príncipe: — E o que eu vou fazer com um pé de sapato, seu burro?
Mensageiro: — Muito simples: procuramos a dona do sapato em todo o reino.
Príncipe: — Puxa, você é um gênio.
Mensageiro: — O senhor é que é muito bobo, alteza.

CENA 8

Em busca da dona do sapato

Mensageiro do rei: — Toc! Toc! Toc! Não tem ninguém em casa?
Cinderela: — Pode entrar!
Mensageiro do rei: — Boa tarde.
Cinderela: — Boa tarde. O que você quer de novo?
Mensageiro do rei: — Eu quero falar com a dona da casa.
Cinderela: — Ah, bem! Senhora! Senhora!
Madrasta: — Não precisa gritar. Eu não sou surda.
Você de novo? O que você quer?
Mensageiro: — A dona desse sapato vai se casar com o príncipe.
Madrasta: — Filhas, experimentem o sapato.
(*O mensageiro prova o sapato grande em algumas pessoas da plateia.*)
Mensageiro: — Não tem mais meninas aqui?
Madrasta: — Claro que não.
Mensageiro (olhando para Cinderela): — E essa menina?
Madrasta: — Ela não foi ao baile.
Mensageiro: — Mas vai experimentar. Oh, *cabeu*, *cabeu*!
Cinderela: — **Coube**. Fala direito. Vamos logo casar com o príncipe que eu não aguento mais essa história.

CENA 9

No palácio

Cinderela: — Madrasta! Madrasta! Vem aqui!
Madrasta: — Sim, senhora. Sim, senhora.
Cinderela: — Presta atenção!
Primeiro você vai limpar o chão, **depois você vai** lavar roupa, lavar os pratos, catar lenha e cozinhar. Entendeu?
Madrasta: — Sim, senhora. Sim, senhora!
Cinderela: — Quando acabar, arrume todo esse palácio!
Madrasta: — Sim, senhora. Sim, senhora.

19. Responda.

1. Como era a vida de Cinderela? O que ela precisava fazer todo dia?
   Resposta: ______________________________
2. Um dia, o mensageiro do rei bateu na sua porta. O que ele queria?
   Resposta: ______________________________
3. Por que Cinderela ficou triste?
   Resposta: ______________________________
4. Como a fada ajudou a pobre menina?
   Resposta: ______________________________
5. Você acha que a fada agiu certo quando pegou a vassoura do príncipe? Por quê?
   Resposta: ______________________________

6. Você acha que a madrasta teve o que mereceu? Por quê?

Resposta: ______

7. Você certamente já conhecia a história de Cinderela. Como é o seu início?

Resposta: ______

20. Aponte as principais diferenças entre a versão que você conhecia e o texto que acabou de ler.

Versão que você conhecia:	Versão atual:

Tabela 2 Verbos irregulares no presente				
Poder	**Fazer**	**Dizer**	**Querer**	**Ir**
posso	faço	digo	quero	vou
pode	faz	diz	quer	vai
podemos	fazemos	dizemos	queremos	vamos
podem	fazem	dizem	querem	vão

Tabela 3 Verbos irregulares no pretérito perfeito				
pude	**fiz**	**disse**	**quis**	**fui**
pôde	fez	disse	quis	foi
pudemos	fizemos	dissemos	quisemos	fomos
puderam	fizeram	disseram	quiseram	foram

21. Complete com o verbo correspondente.

— Madrasta, ______________ ir ao baile?
— Não, você não ______________ porque é muito tarde.
— Mas eu já ______________ o meu trabalho de casa.
— Eu já ______________ que é muito tarde. Agora você ______________ para a cama.
— Eu sempre __________ pegar água no poço, __________ meu trabalho de casa, por que eu não ______________ ir ao baile?
— Porque eu ______________ que você não pode e pronto.
— Então eu também não ______________ dormir.

22. A madrasta manda Cinderela... (Imperativo informal)

Parar de chorar	**— Para de chorar!**
Obedecer a sua madrasta	
Calar a boca	
Vir cá	
Pedir desculpa	
Não deixar a casa suja	
Ir lavar a louça	
Esfregar o chão	
Pentear meus cabelos	
Lavar o rosto	
Ir tomar banho	
Ir para a cama	

23. Recontando.

Agora vamos recontar a história, podendo fazer modificações nas versões que conhecemos. Cada participante do grupo conta uma parte.

Era uma vez uma menina muito bonita que se chamava Cinderela. Ela...

24. **Preencha a lacuna.**

É verdade! (V) **É mentira!** (M)

1. Eu adoro arrumar a casa. (   )
2. Eu prefiro computador à televisão. (   )
3. Eu fico lendo histórias até tarde. (   )
4. Meu pai briga muito comigo. (   )
5. Minha mãe briga muito comigo. (   )
6. Eu sempre vou para a cama tarde. (   )
7. Eu nunca faço as tarefas de casa. (   )
8. Hoje, eu não fiz meu trabalho de casa. (   )
9. Eu não obedeço à minha mãe. (   )
10. Nós não quisemos ver televisão ontem. (   )

25. **Pergunte. (Em dupla)**

1. ____?
   Resposta: Porque sua mãe havia morrido.
2. ____?
   Resposta: Porque seu pai viajava e não sabia que sua filha era maltratada.
3. ____?
   Resposta: Ela estava chorando porque não podia ir ao baile.
4. ____?
   Resposta: Sim, porque a fada transforma uma abóbora em uma bela carruagem.
5. ____?
   Resposta: Não, ele não sabia que Cinderela é uma menina que vive na pobreza.

26. **Responda sempre com o verbo. (Em dupla)**

— O quê, você já varreu toda a casa?

— ____________________.

— Acho que você não arrumou as camas das minhas filhas.

— Eu ________________ sim.

— Você botou água para ferver?

— B________________.

— Você deu comida para os bichos?

— Claro que ________________.

— Você os deixou passear no sol?

— Claro que d________________.

— Mas você não abriu a porta para eles saírem.

— A______________ sim.

— Você ficou dando porcaria para minha gata comer.

— Eu não f __________ não.

Madrasta para suas filhas: (Em dupla)

— Vocês não compraram alface para a sua avó.

— Nós ______________________________ sim.

— Mas vocês não fizeram uma sopinha para ela tomar.

— Nós ______________________________ sim.

— Mas vocês não quiseram levar a vovó para passear.

— Nós ______________________________ sim.

— Mas vocês não tiveram cuidado com ela.

— Claro que ______________________________.

27. Recontando contos de fadas. (Individual)

POLEGARZINHO

Era uma vez um pobre casal

Que tinha sete filhos com fome de elefantes

Pois como quase nunca comiam

Eram todos elegantes

...

Polegarzinho se chamava o mais novo

Os outros, ninguém sabe os nomes
É que nessa história
Não eram muito importantes

...

Perderam-se um dia na floresta
Debaixo de um frio escaldante
E foram logo parar
Na casa d'um ogro gigante

...

Polegarzinho que não era burro nem estudante
Deu logo um jeito de matar o gigante
O rei ficou feliz e lhes deu uma bolsa-família
Um saco de pipocas e refrigerante

...

E todos viveram felizes e assim por diante (falso fim)
Ah, Só que por causa da pipoca e do refri
Já não **tão** elegantes.

28. Responda.

1. Quantas estrofes tem o poema?
2. Que tempos verbais predominam nas duas primeiras estrofes?
3. Qual é a função principal dessas duas estrofes? É para contar como a família era e como vivia ou para contar o que aconteceu com as personagens?
4. E que tempos verbais predominam nas outras estrofes?
5. Qual é a função principal dessas outras três estrofes? É de contar como a família era e como a família vivia ou para contar o que aconteceu com as personagens?

Observe então a estrutura a seguir:

Título
Apresentação das personagens: Quando, onde e como viviam (o que faziam habitualmente). Predomina o pretérito imperfeito. **EXEMPLOS:** **Era, tinha, vivia, morava, se chamava** etc.
Desenvolvimento da história (desenrolar dos fatos, o que acontece na história). Predomina o pretérito perfeito. As falas, normalmente, no presente. **EXEMPLOS:** Um dia, **chegou** um lobo... a peteca **caiu**... as crianças se **perderam** de seus pais...
Desfecho ou conclusão da história. Predomina o pretérito perfeito. **EXEMPLOS:** O caçador **entrou** e matou o lobo... o sapo se **transformou** em príncipe... Polegarzinho **enganou** o gigante...

29. Crie ou conte uma história (um conto de fadas).

Use a estrutura sugerida acima. Você pode contá-la acrescentando ou eliminando detalhes que quiser. (Individual ou em trios)
As histórias serão escritas, corrigidas e lidas para os colegas.

Título

30. **O que você estava fazendo quando começou a chover? (Perfeito e imperfeito)**

O CURUMIM (ANTES E AGORA)

Era uma vez um curumim (menino indígena) que se chamava Tupiacir. Um dia, chegou à sua aldeia, no interior da Amazônia, um grupo de médicos enviados pelo Governo para tratar de alguns índios que estavam muito doentes. Um casal de médicos encantou-se com a simpatia e esperteza de Tupiacir e resolveu levá-lo para a cidade grande. O cacique consultou os sábios da tribo e resolveu deixar o curumim morar por uns tempos na cidade.

31. Complete o quadro com as atividades típicas de uma cidade grande.

Vida na Amazônia	Vida na cidade grande
Moradia: oca perto do rio.	
Hora de acordar: com os primeiros raios de sol.	
Manhã: pegar água e lavar roupa e louça com a mãe.	
Brincar com outros curumins no rio.	
Ajudar sua mãe a carregar a louça do rio para casa.	
Ajudar os adultos a mexer o mingau de tapioca.	
Afugentar animais de dentro da oca.	
Tarde: Voltar para o rio para ajudar sua mãe a carregar a louça.	
Fazer pequenos arcos e flechas e brincar com seus amigos de caçar na floresta.	
Sair para pescar com seu pai.	
Jogar peteca com os outros curumins.	
Noite: Ouvir histórias contadas pelos mais velhos.	
Brincar com sua arara.	
Dormir.	

32. **"Leia" seu quadro, dizendo como era a vida de Tupiacir na floresta e como é agora na cidade.**

EXEMPLO: Na Amazônia, Tupiacir acordava com os primeiros raios de sol.
Na cidade, ele acorda...

OUTRAS HISTÓRIAS I (TODA A TURMA)

33. **Criando histórias.**

- Recorte oito cartões.
- Numere-os de um a oito.
- Escreva o que se pede em cada um, inventando personagens e ações.
- Conte uma história com os elementos inventados.

1. Quem?
2. Como era?
3. O que estava fazendo?
4. Quem chegou?
5. Como era?
6. O que perguntou?
7. O que o outro respondeu?
8. O que resolveram fazer?

OUTRAS HISTÓRIAS II (TODA A TURMA) SEM PÉ NEM CABEÇA

- Recolha todos os cartões.
- Separe-os de acordo com sua numeração.
- Embaralhe-os bem.
- Distribua-os, de forma que cada participante receba oito cartões, um de cada número.
- Conte uma história com os elementos misturados.

Tabela 4 Verbos no pretérito mais-que-perfeito composto

Pronomes Pessoais	Começar	Beber	Partir	Fazer
Eu	tinha **começado**	tinha **bebido**	tinha **partido**	tinha **feito**
Você Ele Ela	tinha **começado**	tinha **bebido**	tinha **partido**	tinha **feito**
Nós	tínhamos **começado**	tínhamos **bebido**	tínhamos **partido**	tínhamos **feito**
Vocês Eles Elas	tinham **começado**	tinham **bebido**	tinham **partido**	tinham **feito**

Tabela 5 Verbos no futuro do pretérito composto				
Pronomes Pessoais	**Começar**	**Beber**	**Partir**	**Fazer**
Eu	ia **começar**	ia **beber**	ia **partir**	ia **fazer**
Você Ele Ela	ia **começar**	ia **beber**	ia **partir**	ia **fazer**
Nós	íamos **começar**	íamos **beber**	íamos **partir**	íamos **fazer**
Vocês Eles Elas	iam **começar**	iam **beber**	iam **partir**	iam **fazer**

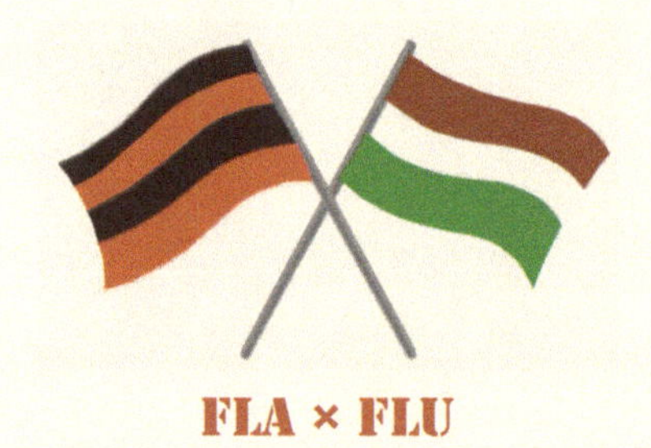

FLA × FLU

Observe.

O SORTUDO	O AZARADO
— Ontem fui ao Maracanã.	— Eu também.
— Quando cheguei à estação, o trem **ainda ia sair**.	— Quando cheguei à estação, o **trem já *tinha saído***.
— Esperei só cinco minutos.	— Esperei meia hora.
— Quando cheguei ao Maracanã, o jogo ainda **ia começar**.	— Quando **eu** cheguei, o jogo já ***tinha começado***.
— No final do primeiro tempo, fui à cantina, e ainda tinha água.	— Eu também estava morrendo de sede, mas a água já ***tinha acabado***.
— Quando voltei da cantina, ainda tinha lugar...	— Quando eu voltei, os torcedores ***tinham ocupado*** todos os assentos.
— ...cheguei a tempo de ver o único gol...	— Quando cheguei, o Flamengo já tinha marcado aquele golaço. A propósito, qual é o seu time?
— Fluminense, e você?	— Sou Flamengo.

O ADIANTADO × O ATRASADO

34. **Complete com a forma verbal adequada.**

O ADIANTADO	O ATRASADO
— Quando cheguei ao Maracanã, o jogo ainda...	— Quando cheguei ao Maracanã, o jogo já...
— Quando cheguei à estação, o trem ainda...	
— Quando cheguei ao aeroporto, o avião ainda...	
— Quando cheguei à sala de aula, o professor ainda...	
— Quando cheguei ao restaurante, a comida ainda...	
— Quando cheguei ao cinema, o filme ainda...	
— Quando cheguei em casa para o almoço, minha família ainda...	
— Quando cheguei à biblioteca, a atendente ainda...	

Tabela 6 Verbos no futuro simples

Futuro	-ar	-er	-ir
Eu	-arei	-erei	-irei
Você Ele Ela	-ará	-erá	-irá
Nós	-aremos	-eremos	-iremos
Vocês Eles Elas	-arão	-erão	-irão

Tabela 7 Verbos no futuro composto		
Verbos auxiliar de futuro + Verbo no infinitivo		
Futuro	**Ir**	brincar jogar escrever dormir viajar comer tomar banho
Eu	vou	
Você Ele Ela	vai	
Nós	vamos	
Vocês Eles Elas	vão	

EXEMPLO: Eu vou viajar. Nós vamos viajar.

35. **Observe as imagens e diga o que vai acontecer. Tape as frases com uma folha e diga o que vai acontecer.**

O QUE VAI ACONTECER?	
	A polícia vai prender o ladrão.
	O hóspede...
	O passageiro...

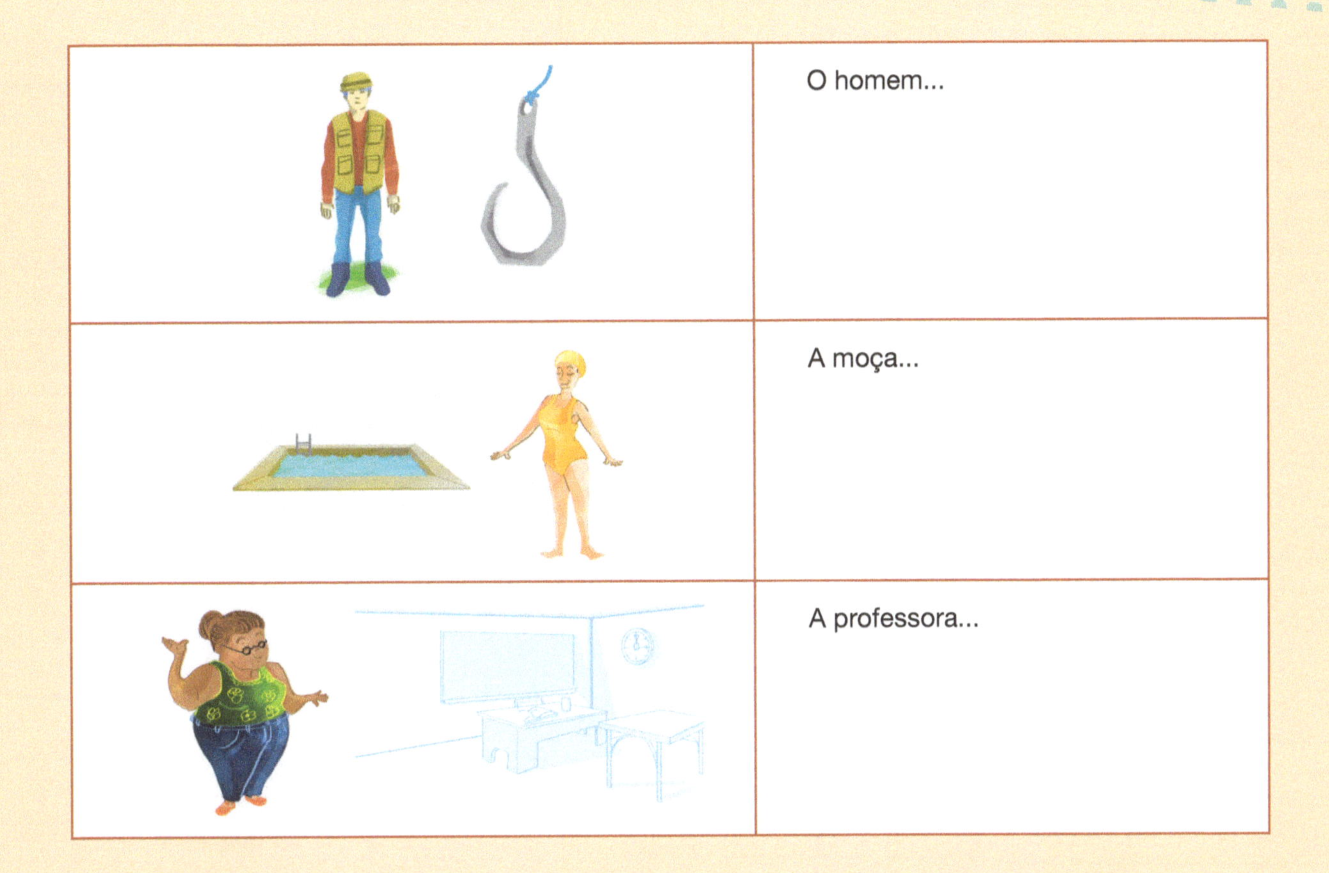

36. **Fim de semana. Crie mais quatro perguntas e entreviste seu colega. (Em dupla)**

O que você pretende fazer no próximo fim de semana?

- A que horas você vai acordar?
- O que você vai comer no café da manhã?
- O que você vai fazer de manhã, à tarde, à noite?

...

37. **Que adjetivos podemos usar para os seres da tabela a seguir?**

O adjetivo pode ser repetido, desde que seja adequado. Vence o participante que usar dois adjetivos para cada item. Quando necessário, passe-o para o feminino.

dourado / invejoso / grosso / mimado / imundo / zangado / pelado / caro / famoso / malvada / idoso / brabo / bondoso / jovem / molhado / encantado / malcriado

MOÇA	COSTUREIRA	MADRASTA	PETECA	PRÍNCIPE
______	______	______	______	______
______	______	______	______	______
______	______	______	______	______
______	______	______	______	______
______	______	______	______	______

38. Quebra-cabeça (postal) ou cartões de vocabulário.

39. **Música.**

FUI NO TORORÓ

Fui no Tororó beber água não achei
Achei a bela Morena
Que no Tororó deixei
Aproveita minha gente
Que uma noite não é nada
Se não dormir agora
Dormirá de madrugada

Ô Mariazinha, ô Mariazinha
Entrarás na roda ou ficarás sozinha
Sozinha eu não fico nem hei de ficar
Porque tenho o (Lucas) para ser meu par

Ai bota aqui, ai bota aqui o seu pezinho
O seu pezinho bem juntinho com o meu
Ai bota aqui, ai bota aqui o seu pezinho,
O seu pezinho bem juntinho com o meu

e depois não vá dizer
que você se arrependeu
e depois não vai dizer
que você se arrependeu

Eu passei por uma casa
Um cachorro me mordeu
Não foi nada, não foi nada
Quem sentiu a dor fui eu.

Encenações e caracterização de personagens

FESTA NO CÉU

PARTE 1
NA LAGOA

Um urubu passa perto de uma lagoa muito bonita e se dirige a dois sapos:

Rabentus: — Bom dia, senhores sapos.

Froxi: — Bom dia, senhor galo. Por que o senhor está tão preto?

Rabentus (*com raiva*): — Eu não sou galo. Eu sou um urubu. Eu me chamo Rabentus.

Fruxi (*ouvindo mp3*): — Que nome esquisito. O senhor não é brasileiro?

Rabentus: — Não, eu sou um urubu alemão. Eu sou músico. Eu vou tocar violão no céu.

Froxi: — Festa no céu? Que legal! Podemos ir também?

Fruxi: — Festa... Nós **a-do-ra-mos** festas.

Rabentus: — Sapos não têm asas. Sapos não vão à festa no céu.

Fruxi: — Você não pode levar dois pobres sapos?

Rabentus (*inflexível*): — Eu só levo o meu violão.

PARTE 2
COM A GALINHA E A PINTA

Galinha Hennelene: — O que está acontecendo aqui?

Froxi (*olhando para a galinha*): — Olha só! Uma "urubua" branca!

Hennelene (*com raiva*): — Eu não sou urubua. Eu sou uma galinha. Eu me chamo Hennelene e esta é minha amiga Boapinta Fá Minta.

Rabentus: — Muito prazer.

Boapinta: — Bom-dia, senhor galo preto. O senhor tem um sanduíche de urubu aí pra mim?

Rabentus (*com muita raiva*): — Eu não sou galo. E não como carne de urubu.

Fruxi: — Um urubu vegetariano.

Rabentus (*para Hennelene*): — Onde é a rampa para o céu?

Hennelene: — O senhor também vai à festa?

Boapinta: — Vai ter brigadeiro?

Froxi: — Vai ter rock?

Fruxi: — Vai ter funk?

Rabentus (*sério*): — Eu vou tocar violão na festa. Eu sou músico alemão.
Froxi: — Você toca rock alemão?
Fruxi: — Você toca funk alemão?
Boapinta: — Você tem pão alemão?
Hennelene: — Cala a boca! (*para Rabentus*) Nós somos bailarinas. Nós vamos dançar na festa do céu.
Rabentus: — Então vamos juntos.
Boapinta: — Boa ideia.
Hennelene: — Hoje tem muito vento. E voar com vento forte é muito perigoso. Vamos amanhã.
Froxi: — Boa ideia, vamos amanhã.
Hennelene: — Cala a boca, Froxi. Sapos não sabem voar. Sapos não vão à festa no céu. (*para Rabentus*): — Você vai dormir na minha casa, Rabentus.
Rabentus: — O que fazemos hoje?
Froxi: — Vamos dançar um rock?
Fruxi: — Vamos ouvir um funk?
Boapinta: — Vamos comer uma feijoadinha?
Hennelene: — Nada disso!
Froxi: — Vamos à praia. Eu adoro nadar. (*gesto*)
Fruxi: — Ótimo, eu adoro mergulhar.
Boapinta: — E depois podemos comer um sanduíche natural.
Rabentus: — Hummm!
Hennelene: — Eu detesto praia! Nós vamos à floresta.
Boapinta: — Vamos fazer um piquenique.
Rabentus: — Hummm! Eu adoro piquenique.
Froxi: — Eu levo um CD de rock.
Fruxi: — Eu levo um CD de funk.
Boapinta: — Eu levo uma linguicinha de porco.
Hennelene: — Nada de rock, nada de funk e nada de linguicinha de porco. Nós vamos **ensaiar** para a festa. Só podemos levar comida saudável.
Rabentus: — "Jawohl, gesundes Essen." Pão integral é saudável.
Froxi: — Um **churrasquinho** é saudável.
Fruxi: — Um espetinho de frango é saudável.
Hennelene: — Cala a boca, cala a boca, cala a boca! Nós vamos levar pão integral, queijo e suco de laranja.

PARTE 3
O PLANO DE FROXI

Assim, os cinco animais fazem um piquenique na floresta. Rabentus toca violão, Froxi toca flauta transversa e Fruxi toca pandeiro. Hennelene e Boapinta são ótimas dançarinas. Eles comem pão integral com queijo e bebem suco de laranja.

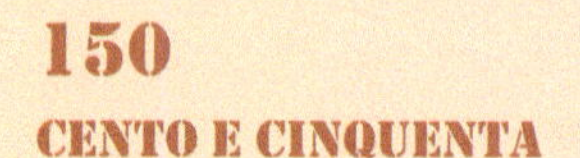

Rabentus fica muito feliz com seus novos amigos.

Depois do piquenique, Hennelene vai para casa com Rabentus. Boapinta vai para o restaurante "Big Pig" comer churrasco. Froxi e Fruxi vão para a lagoa. Fruxi está triste porque não pode ir à festa no céu.

Fruxi: — Droga, não podemos ir à festa no céu.

Froxi: — Eu tenho um plano. Nós vamos à festa.

Fruxi: — Mas como? Nós não temos asas, não podemos voar.

Froxi: — Nós vamos de violão.

Fruxi: — De avião? Você está louco. O tíquete da Lufidança é muito, muito caro...

Froxi: — Eu não falei "avião". Eu falei VI–O–LÃO. Nós vamos de violão, dentro do violão do Rabentus.

Fruxi: — De violão? Que legal! (*jeito de malandro*)

Froxi: — Vamos para a casa de Hennelene. Vamos entrar no violão do Rabentus e dormir lá.

Fruxi: — (*dançante*) Pro céu... de violão... que legalzão!

PARTE 4
A FESTA NO CÉU

Rabentus, Hennelene e Boapinta Fá Minta chegam ao céu. A festa está linda, linda.

Rabentus: — Puxa, meu violão está muito pesado. Eu estou muito cansado. Vou sentar naquela **nuvem** branca.

Hennelene: — Eu também estou muito cansada, pois asa de galinha é muito pequena.

Boapinta: — Eu estou com uma fome! Onde estão os **salgadinhos**? Onde estão os **brigadeiros**? Vou para a cozinha.

Uma banda de urubus toca um samba muito alegre. Um senhor de cartola toca violão com eles. Os músicos são ótimos. O gavião dança com a coruja; o peru dança com a garça; e o galo dança com a águia.

PARTE 4 E MEIO
A QUEDA

(*Dentro do violão*) **Froxi**: — Eles já foram. Vamos sair e dançar.

Fruxi: — Esses urubus não tocam funk?

AINDA É A PARTE 4 E MEIO

Rabentus toca violão muito bem. Todos os pássaros adoram. Hennelene e Boapinta dançam o tempo todo. Mas, à meia-noite, a festa acaba.

Froxi: — Vamos embora, Fruxi. Precisamos entrar rapidinho no violão.

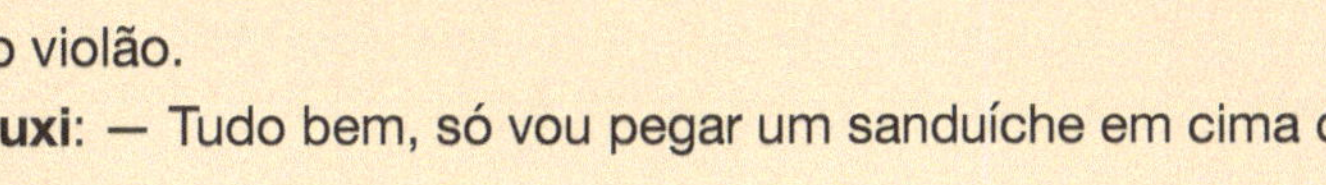

Fruxi: — Tudo bem, só vou pegar um sanduíche em cima da mesa.

Narrador: *Tschi bum!!! Fruxi cai dentro do barril de cerveja. Froxi vai ajudar Fruxi, mas ele também cai dentro do barril.*
Froxi: — Glup, glup, glup.
Fruxi: — Glup, glup, glup.
Froxi: — Estamos molhados, mas precisamos entrar rapidinho no violão.
Fruxi: — Vamos entrar no violão, hic!

PARTE 5
A CAMINHO DE CASA

Hennelene: — Parabéns, Rabentus, você toca muito bem.
Rabentus: — Obrigado, você dança muito bem.
Hannelene: — Boapinta, o que você está comendo?
Boapinta: — Salgadinhos, frutas, queijo, goiabada e brigadeiro.
Rabentus: — Ufa, meu violão está pesado.
Fruxi: — Hic!
Froxi: — Psiu, seu maluco!
Boapinta: — Socorro, um violão falante!
Hennelene: — Hein, acho que sei por que seu violão está pesado. Froxi, Fruxi, podem sair!
Rabentus: — Vou jogar vocês dois lá embaixo!
Fruxi: — Por favor, senhor Galo Preto, quer dizer, senhor Urubu.
Rabentus: — Eu não quero machucar vocês, por isso vocês podem escolher: vocês querem cair na lagoa ou na pedra?
Froxi (*pensando*): — Eu já conheço essa história. Se eu falo lagoa, ele nos joga na pedra. Se eu falo pedra, ele nos joga na lagoa. Se caímos no lago, podemos nadar.
Froxi: — Por favor, jogue a gente na pedra.
Fruxi: — Na pedra, não. Hic!
Froxi: — Cala a boca, Fruxi! Na pedra! Na pedra!

Rabentus, que era um urubu bom mesmo, jogou os dois sapos na pedra. Eles se arrebentaram. Os dois ficaram com um galo na cabeça.

Hennelene: — Benfeito!
Froxi: — Ai, ai!
Fruxi: — Ai, ai, nunca mais vou andar de avião. Hic!
Froxi: — De violão, Fruxi, de VI-O-LÃO.

1. Jogo das características. (Em grupo)

Forma masculina	Forma feminina	Forma masculina	Forma feminina
comilão	comilona	espertalhão	espertalhona
mandão	mandona	brigão	brigona
medroso	medrosa	corajoso	corajosa
bobalhão	bobalhona	bondoso	bondosa
orgulhoso	orgulhosa	metido	metida
engraçado	engraçada	sério	séria
fofo	fofa	raivoso	raivosa
animado	animada	desanimado	desanimada
intrometido	intrometida	atrevido	atrevida
barrigudo	barriguda	bicudo	bicuda

- Procurar o significado das palavras do quadro.
- O participante escolhido deve escrever, secretamente, o nome de uma das personagens em uma folha de papel.
- Os outros devem fazer perguntas, usando os adjetivos do quadro, até adivinharem a personagem escolhida.

2. Discurso direto e indireto 1 – noções. (Em dupla)

Discurso direto	Discurso indireto
Presente (indicativo)	Imperfeito (indicativo)
Froxi disse: — Eu **adoro** praia.	Froxi disse que **adorava** praia.

Rabentus: — Bom-dia, senhores sapos.
Froxi: — Bom-dia, senhor galo. Por que o senhor está tão preto?
Rabentus (*com raiva*): — Eu não sou galo. Eu sou um urubu. Eu me chamo Rabentus.
Fruxi (*ouvindo mp3*): — Que nome esquisito. O senhor não é brasileiro?
Rabentus: — Não, eu sou um urubu alemão. Eu sou músico. Eu vou tocar violão no céu.
Froxi: — Festa no céu? Que legal! Podemos ir também?
Fruxi: — Festa... Nós **a-do-ra-mos** festas.
Rabentus: — Sapos não têm asas. Sapos não vão à festa no céu.
Fruxi: — Você não pode levar dois pobres sapos?
Rabentus (*inflexível*): — Eu só levo o meu violão.

3. **Com base nos quadros, reconte a Parte 1 da história no discurso indireto. Faça as modificações que você achar necessárias.**

Era uma vez um urubu músico que passava perto de uma lagoa muito bonita. Ele se dirigiu a dois sapos e os cumprimentou educadamente. Mas Froxi pensou que ele fosse um...

4. **Discurso direto e indireto 2 – noções. (Em dupla)**

Pretérito perfeito: **fui** Froxi disse: — Eu **fui** à praia.	Mais-que-perfeito composto: **tinha ido** (fora) Froxi disse que **tinha ido** à praia.
Futuro: **vou comprar**	Futuro do pretérito (informal): **ia comprar**

1. Hennelene: — Parabéns, Rabentus, você **tocou** muito bem.
2. Rabentus: — Obrigado, você **dançou** muito bem.
3. Hannelene: — Boapinta, o que você **comeu**?
4. Boapinta: — Eu **comi** salgadinhos, frutas, queijo, goiabada e brigadeiro.
5. Rabentus: — Hennelene, o que você **vai fazer** quando chegar em casa?
6. Hennelene: — Primeiro, eu **vou tomar** um banho de espumas, e depois **vou sair** para jantar. E você?
7. Rabentus: — Eu **vou dormir** um pouco e depois **vou jantar** também.
8. Hennelene: — **Vamos reservar** uma mesa para dois?
9. Rabentus: — Ótima ideia.

5. **Passe as frases do quadro para o discurso indireto.**

Hennelene disse que Rabentus **tinha tocado** muito bem na festa.
Rabentus agradeceu e disse que...

____

____

____

____

6. Complete. (Em grupo)

1. Rabentus é um ______________ (urubu - galo preto).
2. Ele toca ______________ (piano - flauta - violão).
3. Froxi toca ______________ (flauta - violão - piano).
4. Os sapos não podem voar porque eles não têm ______________ (rabo - asas - pernas).
5. Hennelene é ______________ (professora - cantora - cozinheira - dançarina).
6. Boapinta adora ______________ (cozinhar - nadar - comer).
7. Fruxi é um ______________ (macaco - frango - sapo).
8. Os sapos moram ______________ (no céu - na pedra - na lagoa).
9. Rabentus não come carne. Ele é ______________ (vegetariano - alemão - brasileiro).
10. Fruxi é um sapo muito ______________ (mau - elegante - engraçado).

7. Responda.

1. Onde o urubu encontra os dois sapos?
   Resposta: ______________
2. Por que os dois sapos não podem ir à festa?
   Resposta: ______________
3. Onde Rabentus dorme?
   Resposta: ______________
4. Por que os bichos não vão logo para o céu?
   Resposta: ______________
5. Para onde eles vão primeiro?
   Resposta: ______________
6. Por que os animais não vão à praia?
   Resposta: ______________
7. O que eles levam para o piquenique?
   Resposta: ______________
8. Como Froxi e Fruxi vão para o céu?
   Resposta: ______________
9. Como está a festa no céu?
   Resposta: ______________
10. O que acontece com Fruxi no fim da festa?
    Resposta: ______________
11. Por que Hennelene sabe que Froxi e Fruxi estão dentro do violão?
    Resposta: ______________
12. Por que Rabentus joga os dois na pedra?
    Resposta: ______________

8. Responda. (Em grupo)

É verdade! (V)

1. Eu não gostei dessa história. ( )
2. Rabentus é um galo preto. ( )
3. Boapinta detesta comer. ( )
4. Eu toco flauta. ( )
5. Minha mãe toca piano. ( )
6. Eu e Rabentus somos americanos. ( )
7. Meu pai trabalha como músico. ( )
8. Hennelene é uma urubua branca. ( )
9. Boapinta é comilona. ( )
10. Eu adoro churrasco. ( )
11. Meus pais são vegetarianos. ( )
12. Hennelene e Boapinta são cozinheiras. ( )
13. Voar com vento forte é perigoso. ( )
14. Os bichos fizeram um piquenique na praia. ( )
15. Hennelene não gosta de floresta. ( )

É mentira! (M)

16. Sapos sabem voar. ( )
17. Urubus têm asas grandes, mas galinhas têm asas pequenas. ( )
18. Andar de avião é muito barato. ( )
19. Rabentus tem um bom coração. ( )
20. Hennelene chegou cansada no céu porque asa de galinha é muito pequena. ( )
21. Rabentus chegou cansado ao céu porque seu violão é muito pesado. ( )
22. Uma banda de urubus tocava funk. ( )
23. Fruxi caiu no barril de guaraná. ( )
24. Rabentus estava com raiva, mas não queria machucar os sapos. ( )
25. Froxi queria cair na pedra. ( )
26. Os sapos não sabem nadar. ( )

9. Marque a forma correta.

A galinha era...
( ) muito zangada ( ) muito feia ( ) muito mandona

A pintinha era muito...
( ) comilona ( ) muito mimada ( ) muito bonita

A festa estava muito...
( ) triste ( ) cheia ( ) vazia ( ) linda ( ) animada

10. Complete com o verbo certo.

1. O urubu ______________ por uma lagoa muito bonita. (passei - passou)
2. O sapo ______________ na água. (mergulhei - mergulhou)
3. Eu me ______________ Rabentus. (chamo - chama)
4. Hennelene ______________ com raiva. (fiquei - ficou)
5. Eu ______________ violão. (toquei - tocou)
6. Nós ______________ guaraná. (bebi - bebemos)
7. Eu ______________ alemã. (sou - é)
8. Os bichos ______________ à festa no céu. (fui - foi - fomos - foram)

11. **Procure o contrário.**

1. bom	5. subir	( ) má	( ) branco
2. preto	6. entrar	( ) feia	( ) descer
3. ficar triste	7. boa	( ) vazio	( ) sair
4. cheio	8. bonita	( ) mau	( ) ficar alegre

12. **Faça a combinação adequada.**

1. Fruxi cai no barril.	( ) Assim, todos podem comer e beber e se divertir.
2. O violão fica muito pesado.	( ) Ele fica bêbado, hic!
3. Os animais levam comida e bebida.	( ) Os dois sapos estão lá dentro escondidos.
4. Os bichos não voam com vento forte...	( ) porque é muito perigoso.

13. **Criando histórias. (Em trio)**

1. O professor distribui um texto para cada aluno.
2. O aluno deve marcar algumas palavras conhecidas.
3. Cada membro do trio deve iniciar uma história (introdução).
4. Quando acabar, passa para o colega à esquerda para continuá-la (desenvolvimento).
5. Quando acabar, passa novamente para o colega à esquerda para terminá-la (conclusão).
6. Cada trio analisa a produção de outro trio e escolhe a história mais interessante para ler para a turma.

14. **Adivinha quem é?**

careca	cabeludo	barbudo	usa óculos
tem olhos verdes	é loira	é moreno	é forte

é magro	é cantora	toca guitarra	é esportista
é canadense	é atriz de cinema	tem filhos	é escritor

a. Cada aluno traz uma foto de uma personalidade conhecida.
b. O primeiro aluno (escolhido) deve dar pistas sobre sua foto, respondendo às perguntas de seus colegas (ver quadro com exemplos).
c. Conforme as descrições, os outros alunos vão desenhando a pessoa.
d. No final, todos mostram seus desenhos.
e. A turma escolhe o desenho que ficou mais semelhante à foto.

15. Festa no céu em quadrinhos. (Em dupla ou individual)

Preencha os balões, de forma que a história faça sentido.

CERVEJA

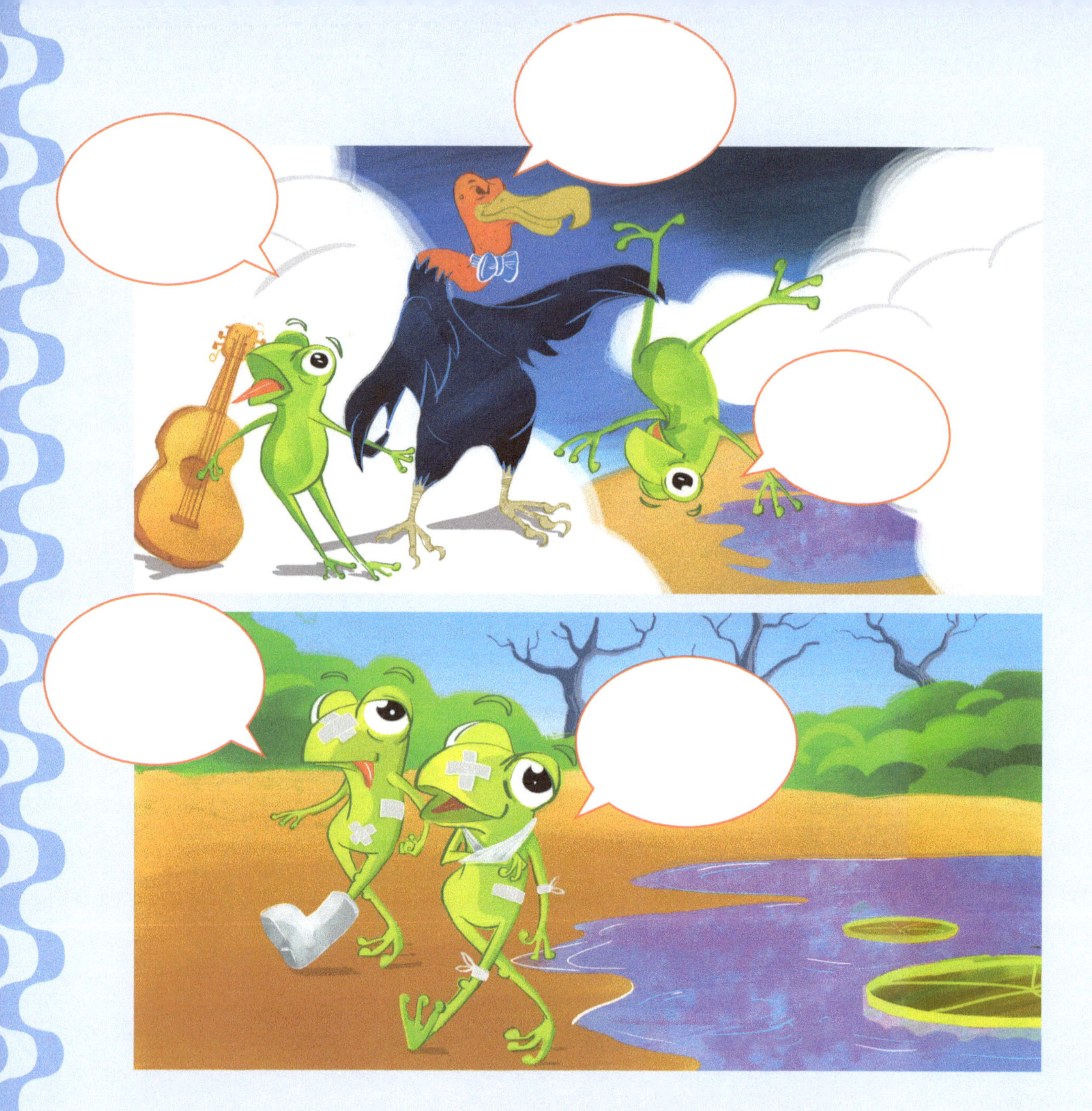

OS LADRÕES DO TESOURO DO REI

Janosch era um velho marceneiro que estava cada dia mais pobre, pois ninguém queria comprar suas mesas, cadeiras e armários cada vez mais tortos e cambetas.

Um dia, o mensageiro do rei bateu na sua porta:

— Toc! Toc! Toc! Abra em nome do rei!

— Pois não.

— Você é Janosch, o marceneiro?

— Sim, e daí?

— E daí que roubaram as joias e a coroa do rei.

— E daí? O que que eu tenho com isso?

— E daí que disseram que você sabe quem são os ladrões.

— Mas eu não sou detetive, eu sou um pobre e velho marceneiro.

— Não interessa. Você tem três dias para ir ao palácio e descobrir os ladrões das joias reais.

— Mas o palácio é muito longe, e eu só tenho um burrico velhinho e magrinho como eu.

— Isso é problema seu. Se não descobrir os criminosos em três dias, você será enforcado.

— Está bem, está bem, eu irei.

Sem remédio, Janosch juntou sua roupa num saco, pegou seu burrico Frederico, e pôs-se a caminho do longínquo castelo.

Durante dois dias e duas noites, o marceneiro e seu fiel companheiro ziguezaguearam a íngreme montanha, em direção ao castelo do rei.

Janosch falava com Frederico como se ele pudesse entender:

— O mensageiro disse que roubaram a "coroa" do rei. Que falta de respeito, chamar a rainha de "coroa".

Assim seguiam os dois morro acima. À noite, dormiam embaixo de alguma árvore à beira da estrada. Durante o dia, comiam frutas e bebiam água do rio. Até que, ao entardecer do último dia, viram o belíssimo e imponente palácio em cima do morro.

— Finalmente, Fred, o castelo!

Quando chegou próximo ao enorme portão, um guarda perguntou-lhe:

— Quem é você? O que você faz? De onde você vem? E o que você quer?

— Eu me chamo Janosch. Eu faço tudo. Eu venho de muito longe e eu gostaria de falar com o rei.

— Você faz tudo mesmo? O rei precisa de um detetive.

— Pois eu sou o melhor detetive das redondezas.

— Pois então, entra! Vamos falar com o rei.

Os dois logo chegaram até o rei. O rei contou o seu problema a Janosch:

— Nós temos ladrões no palácio, mas não conseguimos descobrir quem são. Eles já roubaram ouro e prata do reino. Nós precisamos prendê-los.

Janosch, que estava muito cansado e com muita fome, disse para o rei:

— Não se preocupe, Majestade! Eu vou descobrir os ladrões.

— Você pode morar aqui. Guarda, dê uma cama boa e bastante comida para este homem e cuide bem do seu burrico raquítico, ordenou-lhe o rei.

Janosch pensou que aquele seria seu último dia de vida, e quis aproveitar o máximo. Ele comeu feijão, arroz, frango, farofa, batata frita, carne de porco, picanha e bolo de chocolate. Depois foi dormir. Sua cama era muito macia, muito confortável. E ele dormiu... dormiu...

Na manhã seguinte, um criado trouxe seu café da manhã: uma bandeja com flocos com leite, banana, maçã, pão, manteiga, queijo e café. Como o velho marceneiro ainda estava muito cansado, ele comeu e voltou a dormir. Quando acordou, não viu mais a bandeja e pensou alto:

— Quem pegou a bandeja?

Neste momento, um criado do rei entrou no quarto e Jacob perguntou-lhe.

— Ah, foi você que pegou?

O criado pensou que Janosch estivesse falando do ouro e da prata do rei e ficou muito nervoso.

— Fui eu que peguei o ouro e a prata do rei, mas não conta para ele.

— Tudo bem. Mas primeiro diz onde estão as joias e a "coroa"... quer dizer...

— Escondi tudo num baú embaixo da minha cama.

— O quê, a rainha está dentro do baú, embaixo da sua cama?

— Que rainha? A **coroa** do rei e as joias da rainha estão embaixo da minha cama. Puxa, velho, você está chamando a rainha de "coroa"?

— Claro que não, seu canalha! Agora vou chamar o guarda para prender você.

— E eu vou contar para o rei que você chamou Sua Majestade de "coroa".

— Vamos fazer um negócio. Eu não digo que foi você que roubou a coroa, e você não diz que eu chamei a "coroa" de rainha. Quer dizer, que eu chamei a rainha de "coroa". E você também vai devolver todas as joias e prometer nunca mais roubar outra vez.

— Negócio fechado. Eu não te deduro e você também não me dedura.

O rei e a rainha ficaram muito satisfeitos com o Janosch e lhe deram um saco cheio de moedas de ouro. Depois perguntaram se ele queria se casar com a irmã da rainha. Ela não era muito bonita, mas era bem simpática e inteligente, por isso Janosch aceitou. E eles viveram felizes e ricos e gordos para sempre.

E aí, gostou da história? Não? Então conta uma melhor!

16. Complete.

1. Janosch é muito ______________________ (bobo - inteligente - convencido).
2. Ele é ______________________ (professor - engenheiro - marceneiro).
3. O vendedor ______________________ coisas (compra - ensina - vende).
4. Ele estava pobre porque ______________________ (não conseguia vender seus móveis - gastava muito dinheiro com bebida).
5. Janosch tinha um ______________________ (cachorrinho - burrico - passarinho).
6. Janosch subiu ______________________ (prédios - morros - escadas).
7. Finalmente, eles encontraram um ______________________ (cinema - supermercado - castelo).
8. Os dois dormiam embaixo de ______________________ (pontes - marquises - árvores).
9. Eles comiam ______________________ (frutas - picanha - churrasco).
10. Os dois andaram ______________________ (dias - semanas - meses).

17. Responda.

1. Por que Janosch estava pobre?
   Resposta: ______________________.
2. Por que o marceneiro se sentiu obrigado a fazer a jornada até o castelo?
   Resposta: ______________________.
3. Por que o guarda deixou Janosch falar com o rei?
   Resposta: ______________________.
4. Que problema tinha o rei?
   Resposta: ______________________.
5. Por que Janosch ficou feliz de poder morar no palácio?
   Resposta: ______________________.
6. Qual foi a recompensa de Janosch?
   Resposta: ______________________.
7. O que faz um marceneiro?
   Resposta: ______________________.
8. Explique como Janosch resolveu o problema.
   Resposta: ______________________.

9. É verdade que raptaram a rainha?
Resposta: ______.

10. A irmã da rainha não era muito bonita, mas Janosch se casou com ela. Você acha que ele fez certo? Explique.
Resposta: ______.

18. Preencha a lacuna.

É verdade! (V)	**É mentira!** (M)
1. Eu não gostei dessa história.	( )
2. Janosch é motorista.	( )
3. Janosch viaja de ônibus.	( )
4. Meu pai é vendedor.	( )
5. Minha mãe usa uma coroa.	( )
6. Eu adoro histórias de princesas.	( )
7. Meu pai trabalha como músico.	( )
8. Janosch é um burrico.	( )
9. Janosch e o guarda foram à praia.	( )
10. Eu adoro churrasco.	( )
11. Eu tenho uma cama muito macia.	( )
12. Eu moro num palácio.	( )
13. O rei deu dez moedas de ouro para o guarda.	( )
14. Os ladrões roubaram as dez moedas da rainha.	( )
15. Janosch se casou com a rainha.	( )
16. Janosch se casou com a condessa porque ela era linda.	( )
17. Que história legal!	( )

19. Escolha a forma correta.

Janosch ______ marceneiro. (estava - era)
O Janosch ______ pobre. (estava - era)
Eu me ______ Rabentus. (chamo - chama)
O rei ______ seu problema para o vendedor. (contei - contou)
Eu ______ feijão, arroz, frango e farofa. (comi - comeu)
Nós ______ guaraná. (bebi - bebemos)
Eu ______ alemã. (sou - estou)
Nós ______ descobrir os ladrões (vou - vai - vamos - vão)

20. Procure o contrário.

1. bom	5. subir	( ) má	( ) branco
2. preto	6. entrar	( ) feia	( ) descer
3. ficar triste	7. boa	( ) vazio	( ) sair
4. cheio	8. bonita	( ) mau	( ) ficar alegre

21. **Descubra o ladrão. (Em dupla)**

- Cada participante da dupla escolhe um suspeito (culpado).
- Cada um deve investigar os suspeitos e descobrir o ladrão através de perguntas como: "O ladrão é loiro?" "Usa óculos?" e assim por diante.
- Os participantes vão eliminando os suspeitos inocentes, até chegar ao "culpado".
- O primeiro que acertar o "culpado" ganha o jogo.

OS SUSPEITOS

Imperativo					
Formal	**Informal**	**Formal**	**Informal**	**Formal**	**Informal**
-ar		**-er**		**-ir**	
conte	conta	prenda	prende	dirija	dirige
IRREGULAR		*IRREGULAR*		*IRREGULAR*	
vá*	vai*	diga*	diz*	tenha*	tem*
faça*	faz*	saia	sai	suma*	some*

22. **O que o rei manda o guarda Janosch e o cozinheiro fazerem? (Formal)**

Ganha o participante que completar o quadro primeiro.

PRENDER O LADRÃO / ENTRAR / FAZER UM CAFÉ / PREPARAR UMA FEIJOADA / DAR COMIDA PARA O BURRICO / PROCURAR AS JOIAS / IR AO CASTELO DESCOBRIR O LADRÃO / CUIDAR DO FREDERICO / MANDAR O JANOSCH VIR AO CASTELO / CASAR COM A IRMÃ DA RAINHA / FAZER UM CAFÉ / SUMIR DO CASTELO / ARRANJAR UMA CAMA MACIA PARA O MARCENEIRO / VOLTAR OUTRO DIA / TOMAR CONTA DA RAINHA / PÔR A MESA / CALAR A BOCA / DESCANSAR PRIMEIRO E DEPOIS INVESTIGAR...

JANOSCH	O GUARDA	O COZINHEIRO

23. Complete as frases e depois leia para seus colegas.

1. Se eu ganhasse na loteria, eu...

___

2. Se eu fosse presidente, eu...

___

3. Se eu fosse superstar, eu...

___

4. Se eu fosse presidente de uma fábrica de automóveis, eu...

___

5. Se eu fosse um super-herói, eu...

___

24. Faça como no modelo abaixo.

a. **Conte** uma história mais bonita.	**Conta** uma história mais bonita.

b. Guarda, prenda os ladrões.	
c. Filho, dirija com cuidado.	
d. Guarda, vá à aldeia e diga para o marceneiro vir ao palácio imediatamente.	
e. Janosch, diga o que você deseja.	
f. Amigo, tenha paciência.	
g. Janosch, faça uma boa refeição.	
h. Ladrão, saia daqui.	

CINCO PASSOS PARA A HISTÓRIA

25. Crie sua história.

1. Era uma vez...
   . Quem? Personagem "**A**"
   . Como se chamava "**A**"?
   . Como era "**A**" (fisicamente)?
   . Como era "**A**" (psicologicamente)?
   . O que "**A**" gostava de fazer?
   . O que fazia (tinha que fazer) sempre?

2. Um dia...
   . Onde "**A**" estava?
   . O que estava fazendo?
   . "**A**" encontrou quem? "**B**"

. Como se chamava? “**B**”
. Como era (fisicamente)?
. Como era (psicologicamente)?
. Que problema “**B**” tinha?
. Como “**B**” pediu ajuda para “**A**”? (O que ele disse?)
. Por que “**A**” não quis logo ajudar?
. Por que “**A**” mudou de ideia?

3. Então...
. Para onde foram “**A**” e “**B**”?
. Que dificuldades eles tiveram que resolver?
. Como “**A**” conseguiu resolver o problema?

4. Depois daquele dia, ...
. Como “**A**” e “**B**” passaram a viver depois de tudo? (O que mudou em suas vidas?)

5. Título
. Que título combina com sua história?
(Que não seja tão óbvio)

ESTRUTURA

____
Título

Era uma vez ______________________________________
____
____
____

Um dia ____
____
____
____
____
____
____
____
____
____

Então ____

____

____

____

____

____

____

Depois daquele dia, ____

____

____

____.

26. **Que adjetivos podemos usar para caracterizar as personagens no quadro a seguir? O adjetivo pode ser repetido, desde que seja adequado. (Vence o participante que usar dois adjetivos para cada item.)**

desonesto / mandão / culpado / jovem / rigoroso / vagabundo / obediente / inocente / bobo / orgulhoso / comilão / intrometido / elegante / sério / brincalhão / justo / sortudo / decidido

REI	JANOSCH	LADRÃO
RABENTUS	**BOAPINTA**	**HENNELENE**

27. Quebra-cabeça (postal) ou cartões de vocabulário.

28. **Música.**

SE ESSA RUA FOSSE MINHA

Nesta rua, nesta rua tem um bosque
Que se chama, que se chama solidão.
Dentro dele, dentro dele mora um anjo
Que roubou, que roubou meu coração.

Se eu roubei, se eu roubei teu coração
Tu roubaste, tu roubaste o meu também.
Se eu roubei, se eu roubei teu coração
É porque, é porque te quero bem.

Se essa rua, se essa rua fosse minha
Eu mandava, eu mandava ladrilhar.
Com pedrinhas, com pedrinhas de brilhante
Para o meu, para o meu amor passar.

Histórias, estórias e aventuras luso-brasileiras

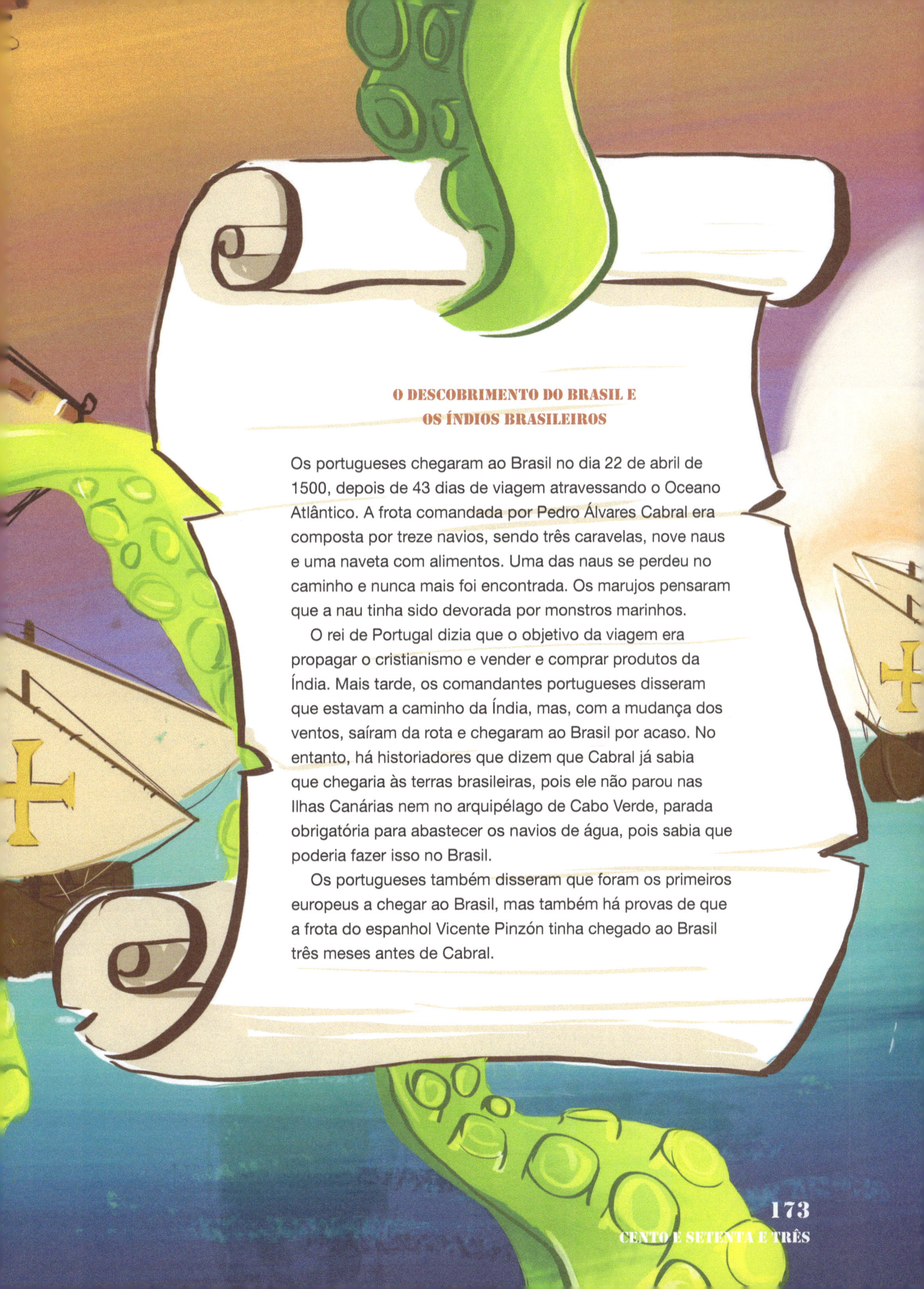

O DESCOBRIMENTO DO BRASIL E OS ÍNDIOS BRASILEIROS

Os portugueses chegaram ao Brasil no dia 22 de abril de 1500, depois de 43 dias de viagem atravessando o Oceano Atlântico. A frota comandada por Pedro Álvares Cabral era composta por treze navios, sendo três caravelas, nove naus e uma naveta com alimentos. Uma das naus se perdeu no caminho e nunca mais foi encontrada. Os marujos pensaram que a nau tinha sido devorada por monstros marinhos.

O rei de Portugal dizia que o objetivo da viagem era propagar o cristianismo e vender e comprar produtos da Índia. Mais tarde, os comandantes portugueses disseram que estavam a caminho da Índia, mas, com a mudança dos ventos, saíram da rota e chegaram ao Brasil por acaso. No entanto, há historiadores que dizem que Cabral já sabia que chegaria às terras brasileiras, pois ele não parou nas Ilhas Canárias nem no arquipélago de Cabo Verde, parada obrigatória para abastecer os navios de água, pois sabia que poderia fazer isso no Brasil.

Os portugueses também disseram que foram os primeiros europeus a chegar ao Brasil, mas também há provas de que a frota do espanhol Vicente Pinzón tinha chegado ao Brasil três meses antes de Cabral.

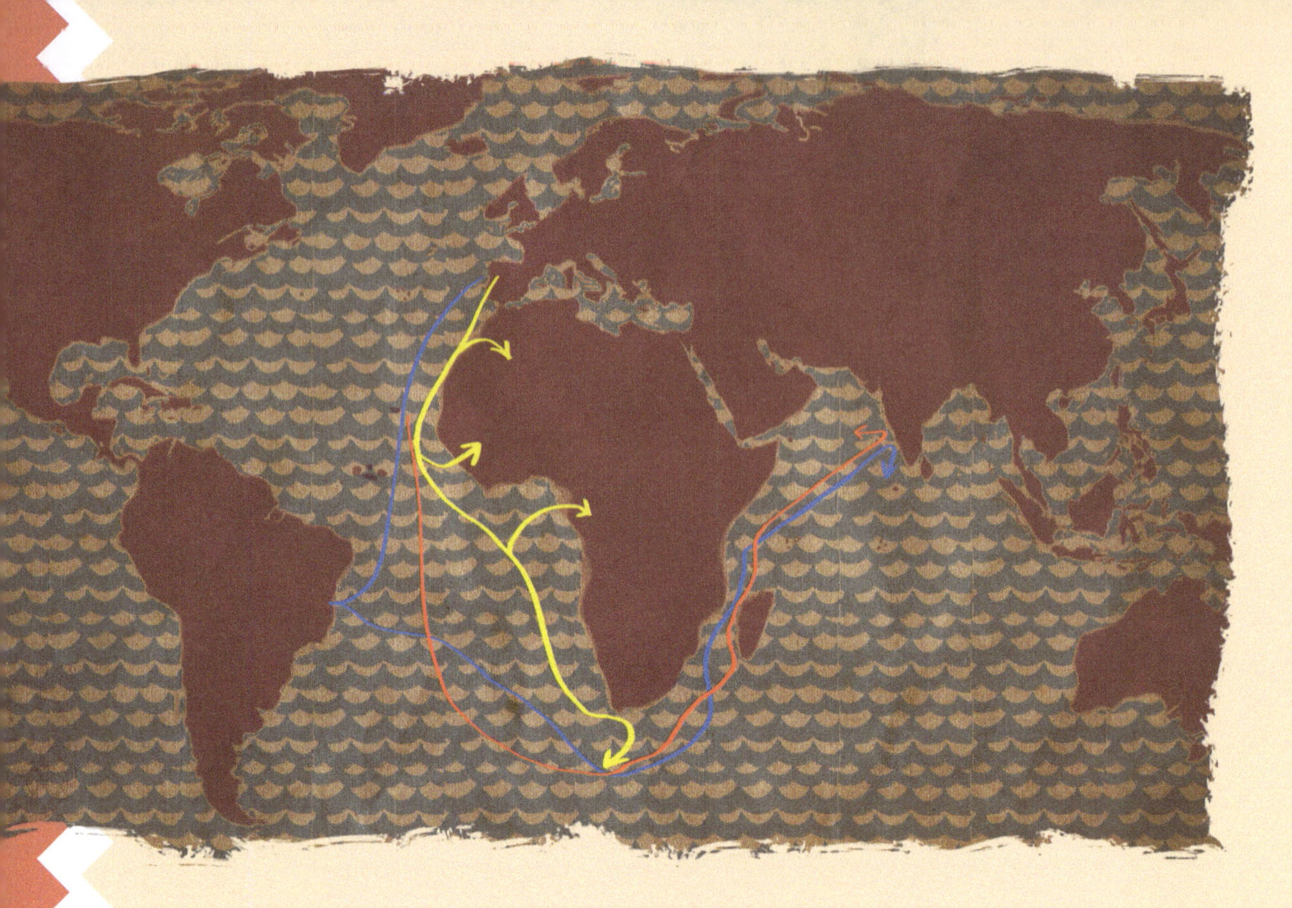

Quando chegou ao Brasil, a frota portuguesa encontrou os índios da tribo dos tupiniquins. Os índios andavam nus e viviam em ocas, pequenas casas feitas com folhas das árvores. Eles caçavam, pescavam e plantavam milho e mandioca para se alimentarem. Faziam muitos objetos de madeira e de barro, como canoas, armas (arcos e flechas) e recipientes para guardar comida. Os índios mais velhos contavam histórias para os índios mais novos, assim eles aprendiam a sobreviver. Havia também índios canibais, como os da tribo Tupinambá, que comiam seus inimigos para adquirir sua coragem e valentia.

Os homens de Cabral quiseram ganhar a confiança dos índios, então deram-lhes presentes e, em troca, ganharam um cocar feito de penas de aves e um colar de sementes brancas. Com a ajuda de intérpretes, entenderam que havia ouro em suas terras. Cabral também quis deixar com os índios um prisioneiro português que poderia aprender mais sobre sua vida e suas línguas, mas os nativos não permitiram que ele ficasse.

Os portugueses voltaram ao Brasil, porém não encontraram ouro nem prata nos primeiros séculos; mesmo assim iniciaram o processo de colonização com a derrubada de pau-brasil, uma árvore que contém um líquido vermelho que servia para a escrita e para tingir tecidos, e a madeira era usada para a construção de móveis.

Primeiro, os próprios índios cortavam as árvores com seus machados de pedra em troca de espelhos e pedaços de tecidos. Com o tempo, foram ficando mais exigentes e os europeus trouxeram-lhes os machados de ferro. Com isso, em vez de três horas, passaram a derrubar um pau-brasil em quinze minutos, fato que muito contribuiu para o desmatamento do litoral brasileiro.

Por causa do pau-brasil, as terras brasileiras foram batizadas de "Brasil", e os que trabalhavam no corte ou no transporte do pau-brasil (índios ou europeus) eram chamados de "brasileiros".

Além dos portugueses, também franceses, holandeses e ingleses negociavam pau-brasil com os índios e queriam colonizar as terras brasileiras, mas finalmente os portugueses conseguiram expulsar os invasores e governar o Brasil. Os europeus tentaram escravizar os nativos, mas eles não aceitavam ser escravos e muitos morriam. Os colonizadores também trouxeram novas doenças e isso causou a morte de muitos índios.

Antes da chegada dos europeus, havia cinco milhões de indígenas no Brasil. Hoje, há somente 400 mil que vivem, principalmente, em reservas demarcadas pelo governo, como a reserva do Xingu. Muitos já não vivem como os seus antepassados, pois moram na cidade e esqueceram sua cultura.

Felizmente, há ainda índios que resistem e preservam seus hábitos, suas línguas, suas lendas, seus cantos e suas danças. Eles defendem sua terra e, em protestos, usam sua pintura de guerra, cantam e dançam para lutar por seus direitos.

VOCABULÁRIO

- **propagar** – fazer propaganda, publicar, fazer ficar conhecida
- **arquipélago** – grupo de ilhas
- **ilha** – uma porção de terra, cercada de água por todos os lados
- **tribo** – grupo de índios
- **nu** – sem roupa, sem cobertura
- **oca** – casa, cabana dos índios
- **armas** – objetos para ataque ou defesa
- **canibais** – pessoas que comem carne humana
- **abastecer** – encher com água, alimento, combustível etc.

1. Responda.

1. Quando os portugueses chegaram ao Brasil? Eles foram os primeiros?
   Resposta: ______________________________
2. Quanto tempo durou a viagem de Cabral?
   Resposta: ______________________________
3. Qual era o objetivo da viagem, segundo os governantes de Portugal?
   Resposta: ______________________________
4. O Brasil foi descoberto por acaso? Justifique sua resposta.
   Resposta: ______________________________
5. Como viviam os índios brasileiros?
   Resposta: ______________________________
6. Por que os Tupinambás comiam seus inimigos?
   Resposta: ______________________________
7. O que os portugueses queriam do Brasil, afinal?
   Resposta: ______________________________
8. Por que o Brasil se chama Brasil?
   Resposta: ______________________________

9. O que fez aumentar muito o desmatamento do pau-brasil?
   Resposta: ______________________________

10. O que causou a morte de muitos índios brasileiros?
   Resposta: ______________________________

2. Complete o quadro de país, nacionalidade e língua.

País	Masculino	Feminino	Língua
Inglaterra	inglês		inglês
França		francesa	francês
Holanda	holandês	holandesa	
Japão			
	chinês		
		tailandesa	
			irlandês
Portugal			

3. Complete o quadro de país, nacionalidade e língua.

País	Masculino	Feminino	Língua
Peru			espanhol*
	boliviano		
		angolana	português*
Itália			
	moçambicano		
Cuba			

*Considerando apenas o idioma oficial dos países

4. Língua. Pergunte para o seu colega, como no exemplo. (Em dupla)

EXEMPLO:

- Que língua se fala na Inglaterra?
  Resposta: Na Inglaterra se fala inglês.
- Que língua se fala no seu país?
  Resposta: No meu país se fala____________ .

5. Pergunte e responda conforme o exemplo. (Em dupla)

EXEMPLO: ingleses – Se os **ingleses** tivessem colonizado o Brasil, que língua os brasileiros falariam?
– Os brasileiros falariam **inglês**.

1. franceses. – Se...
2. holandeses.
3. espanhóis.
4. ...

6. Complete o quadro de profissões.

O que faz	Profissão	O que faz	Profissão
Faz e conserta **chave.**		Abre e fecha **porta** para as pessoas.	
Tira o **lixo**	**lixeiro**	Faz **faxina**.	
Faz **pão**.		**Cozinha**.	
Trabalhava com **pau-brasil**.		Toma conta de **casas**.	

7. Formação dos adjetivos. (Roda de discussão)

- Que quadro se refere a nações mais antigas?
- Que quadro se refere a nações mais novas?
- Por que o adjetivo pátrio referente ao Brasil tem uma forma diferente?
- Há outros adjetivos pátrios diferentes dos dois modelos, como *alem*ão ou vietnam**ita**. Descubra-os.
- “Carioca” é a pessoa que nasce na cidade do Rio de Janeiro. Descubra a origem dessa palavra.

8. Reescreva as frases, substituindo as expressões relacionadas a *descobrir* pelas expressões correspondentes do quadro abaixo. (Em dupla)

CONQUISTAR (ENCONTRAR POR PRIMEIRO) / TIRAR A ROUPA / CRIAR / INVENTAR / DESMATAR / DESTAMPAR / SEM COBERTA / PELADOS (NUS) / ACHAR

1. Os portugueses **descobriram** o Brasil.
2. Os portugueses não **descobriram** os índios porque os índios já estavam **descobertos**.
3. Os europeus **descobriram** a Mata Atlântica.
4. Já **descobriram** a vacina contra mordida de cobras?
5. Quem **descobriu** a América?
6. Onde você **descobriu** essa roupa tão bonita?
7. Não **descubra** a comida.

8. Eu me resfriei, porque dormi **descoberto**.
9. Quem **descobriu** o relógio de pulso?

FORCA (EM DUPLA)

C A B R _ L

9. Vamos brincar de forca com vocábulos do texto "O Descobrimento do Brasil e os Índios Brasileiros"?

- O jogador A escolhe uma palavra do texto lido e coloca o número de linhas correspondentes ao número de letras da palavra.
- O jogador B diz as letras que acha que compõem a palavra escolhida.
- A cada erro, o jogador A vai formando a forca e o enforcado através de onze traços (dois da forca, mais cabeça, olhos, boca, corpo, braços e pernas).
- No final de três partidas, decide-se o vencedor.

O DESCOBRIMENTO – PROGRAMA DE ÍNDIO – LEITURA DRAMATIZADA

10. Leitura. (Dois alunos)

Índio: – Buenos días, hablas español?
Português: – Ué, aqui é Brasil ou Argentina?
Índio: – Brasil. Mas os espanhóis chegaram primeiro.
Português: – Deixa de ser maluco. Não leu a História do Brasil? Os portugueses descobriram o Brasil.
Índio: – Tudo bem. Então descubram logo a gente e vão embora, que nós queremos caçar, pescar e namorar as índias.
Português: – Tá pensando que é assim, é? Nós, portugueses, não somos desorganizados como vocês brasileiros.
Índio: – Já sei, já sei. Vocês trouxeram aqueles espelhos vagabundos da *Rua da Alfândega** de Lisboa?
Português: – Trouxemos. Primeiro, vamos começar o processo de descobrimento, "descobrindo" todo o litoral de vocês; vamos arrancar todo o pau-brasil. Mas, como recompensa, vamos deixar-lhes o nome: "Brasil"!
Índio: – Já entendi. Vocês só não vão nos "descobrir" porque nós já andamos descobertos.
Português: – É, depois vamos cobrir vocês de camiseta e de jeans. Mas mais tarde, vocês vão poder andar seminus na praia de Ipanema.
Índio: – Menos mal. O que mais vocês vão descobrir?
Português: – Vamos descobrir a Mata Atlântica e a Floresta Amazônica.
Índio: – E onde a gente vai morar sem floresta?
Português: – Nós vamos construir pontes. Vocês podem dormir embaixo delas. Ou na reserva do Xingu.

Índio: – Isso é que é *programa de índio**. Mas, pelo jeito, a gente não tem mesmo saída.
Português: – É verdade. Se não somos nós, são os franceses ou os holandeses.
Índio: – Pelo amor de Deus! Holandeses não! Aquela língua é complicada demais.
Português: – E, além disso, nós vamos trazer uma gente muito animada lá *da África**.
Índio: – Eles sabem dançar?
Português: – Dançar e cantar muito bem. E, além disso, vão descobrir (no bom sentido) a *feijoada*.
Índio: – Menos mal. E para digerir a feijoada?
Português: – Ah, deixa de ser apressado. Ainda vão descobrir a *cachaça* e a *caipirinha*...
Índio: – E para os indiozinhos?
Português: – Para os curumins vai ter caipirinha-kid (suco de limão. Sem álcool, é claro!) e guaraná.
Índio: – Aí é legal. Mas... e nossas festas? Vocês vão acabar com a nossa religião, nossa cultura, nossa tradição.
Português: – A gente vai tentar. A gente quer que todo mundo seja cristão.
Índio: – E nossas festas, portuga? Índio gosta de farra também.
Português: – Não esquenta. Nós temos uma festa meio chata, o entrudo, mas os africanos vão dar uma repaginada nela. E, em fevereiro, vocês vão ficar quase uma semana na *gandaia*.
Índio: – Menos mal.
Português: – Tá gostando, né, índio?
Índio: – Tá melhorando. Vai ter batucada?
Português: – Vai. E vai ter missa em ação de graças e cerveja a R$ 1,00.
Índio: – Menos mal. O problema vai ser a corrupção, o imposto de renda, as doenças da Europa e o tráfico de drogas.
Português: – Mas vai ter *CPI, CPF, UPA, UPP e FUNAI**.
Índio: – ?
Português: – E, além disso, vamos trazer as melhores passistas e o melhor jogador de todos os tempos. E aí, prefere os holandeses? Eles só têm queijo e Seedorf, um craque do Suriname.
Índio: – Se é assim, tudo bem. Pode descobrir a gente então.
Português: – Sei que vamos fazer muitos estragos, mas, em compensação, vamos deixar um tesouro com o presente mais valioso, mais significativo...
Índio: – E o que a gente vai fazer com isso?
Português: – Com ele, vocês vão poder pintar o céu, as montanhas e o infinito. Vão poder atravessar os mares e o tempo. Vão poder se consolar dos amores perdidos e das injustiças. Vão cantar a beleza e a saudade de seu povo.
Índio: – Ah, já entendi. Tudo bem! Pode descobrir a gente!

COMPREENSÃO DAS EXPRESSÕES

- *Rua da Alfândega* – rua popular no Rio de Janeiro, onde são vendidos produtos baratos.
- *Programa de índio* – programa chato, sem graça. Atualmente, "programa de branco".
- *Pessoas da África* – grupo de vital importância na formação do povo brasileiro, que veio para o Brasil trazido como escravos pelos europeus.
- *Feijoada* – comida preparada com feijão e carne de porco.
- *Cachaça* – aguardente feita da cana-de-açúcar.
- *Caipirinha* – bebida preparada com cachaça, gelo e limão.
- *CPI, CPF, UPA, UPP* e *FUNAI* – documentos e siglas de instituições muito usadas no Brasil.

11. Então, você sabe qual é o tesouro deixado no Brasil pelos portugueses?

	Í				

		R							

12. Marque as alternativas corretas, depois leia para seus colegas.

1. Por que o índio começa a falar espanhol com o português?
( ) Porque espanhol é mais fácil que português.
( ) Porque português e espanhol são línguas muito parecidas.
( ) Porque o índio pensa que os espanhóis chegaram ao Brasil primeiro.

2. O que a História oficial diz sobre os descobridores do Brasil?
( ) Que um navegador espanhol, Vicente Pinzón, foi o primeiro a chegar ao Brasil.
( ) Que o português Pedro Álvares Cabral descobriu o Brasil .
( ) Que os portugueses já sabiam da existência do Brasil.

3. O que você faria se fosse o índio?
( ) Se eu fosse o índio, eu preferiria ser descoberto pelos holandeses porque eu adoro queijo...
( ) Se eu fosse o índio, eu colocaria os portugueses dentro da feijoada.
( ) Se eu fosse o índio, eu descobriria Portugal, e os portugueses teriam que falar tupi-guarani.

4. O que é um "programa de índio" para você?
( ) Acordar muito cedo.
( ) Jogar bola.
( ) Fazer os deveres de casa.

5. O que é um programa legal para você?
( ) Jogar videogame.
( ) Ir para a escola.
( ) Aprender português.

OS NAVEGADORES PORTUGUESES – LEITURA DRAMATIZADA

PARTE 1

– Corram, meninos! Escondam-se em algum lugar, que eu ficarei bem.
– Mamãe, mamãe!
– A mamãe tem razão, vamos correr para o rio e nos esconder em algum navio. Somos pequenos demais para fazer alguma coisa.
– Mas o que os guardas vão fazer com ela? Por que ela vai presa?
– Por tentar curar o papai com aquelas plantas. Ela é acusada de bruxaria.
– O papai morreu e agora ficamos sem a mamãe também. O que será de nós?
– Vamos entrar naquele navio. Vamos pegar uma daquelas caixas e levar lá para dentro como aqueles marinheiros. Eles vão pensar que somos ajudantes.
– Puxa, que caixa pesada! Não podia escolher uma menos pesada não?
– Cala a boca!
– Onde deixamos a caixa?
– Vamos deixá-la junto às outras. E depois vamos lá para o porão do navio.
– Estou com fome.
– Olha, vamos ficar ali. Assim poderemos entrar na despensa e pegar alguma coisa para comer.
– Agora, vê se fica quietinho para não sermos descobertos.
– Acorda, Antônio, acorda!
– Nossa Senhora! Eu caí no sono. Bartolomeu, fica aqui quietinho, que eu vou pegar alguma coisa para comer.
– Ai, que bom, minha barriga vai estourar de tanta comida. Adoro pão com morcela.
– Fala baixo, Bartolomeu! Acho que já é noite e podemos sair sem que ninguém nos veja.
– Antônio, estamos navegando!
– Nossa mãe, é verdade. O que vamos fazer agora? Temos que ficar escondidos. Senão os marujos fazem picadinho de nós.
– Pelo menos, tem bastante comida aqui. Olha que céu estrelado! Deitado aqui fora olhando pro céu, parece que a gente vai cair para cima.

DOIS MARUJOS...

– O capitão Eanes é muito corajoso. É a segunda vez que ele vai tentar passar o Cabo do Medo.
– O marujo João esteve com ele nessa tentativa e contou que há monstros marinhos horrendos que quase derrubaram o navio.
– Mas contra os monstros, nós podemos lutar. Afinal, temos armas para isso. O que me preocupa é que dizem que o mar acaba depois do Cabo.
– Ou como será que todas as outras caravelas que tentaram passar O Cabo do Medo sumiram? Deve mesmo haver um abismo por lá.
– Mas não importa. Nós só saberemos o que lá tem quando lá chegarmos.
– Isso é verdade. Vamos tomar um vinho, antes que vire vinagre.
– E comer um pão, antes que apodreça.

O CAPITÃO GIL EANES E SEUS MARUJOS...

– Vire o leme para oeste. Vamos para longe da costa, pois aqui há muitos recifes de arestas pontiagudas que podem destruir a nau.
– Vamos, marujos, remem, remem! Só a vela não vai dar conta de furar todo esse vento.
– Vamos navegar por um dia longe da costa. Depois voltaremos a nos aproximar dela.
– Perfeito, capitão!
– Ainda temos mantimentos?
– Já está no final, capitão. Parece até que temos mais ratos do que o normal, pois a comida está acabando muito rápido. E dois marujos estão muito doentes. Acho que nossa água está apodrecendo.
– Temos que resistir por uns dias. Reabasteceremos na costa.
– "Espero que haja costa", pensou o marinheiro.
– Às vezes eu me pergunto, marujo: Será que tudo isso vale a pena? Mas no fundo sei que tudo vale a pena se a alma não é pequena.
– E navegar é preciso, viver não é preciso.

OS DOIS MENINOS...

– Monstros... abismos... E esses dois falando coisas que não dá para entender. Será que estão com a doença do mar? Estão falando coisa com coisa?
– Fala baixo! Não podemos mais exagerar na comida. Eles estão percebendo que alguém está comendo demais.
– Seus pilantrinhas! O que vocês estão fazendo aqui?
– Pelo amor de Deus, não nos entregue!
– Capitão, achei os "ratinhos" que acabaram com o nosso queijo. Veja só que gordinho esse miúdo! Posso jogá-los no mar ou vamos assá-los?
– Virgem Maria, o que esses fedelhos estão fazendo aqui?!
– Capitão, temos uma tormenta pela frente!
– Coloque os miúdos em minha cabine. Amanhã eles vão trabalhar para pagar a comida. Depois os jogamos no mar. Agora temos que lutar contra essas gigantescas ondas.

– Olhe, finalmente chegamos a águas calmas. Vamos agora a sudeste.
– Rezem, marujos! Ou chegamos ao fim do mundo ou chegamos ao Paraíso.
– Capitão, não nos jogue no mar. Nós nem queríamos fazer essa viagem. Só entramos no navio para nos esconder dos soldados da Igreja que levaram nossa mãe. É porque ela usou plantas para salvar o nosso pai e foi acusada de bruxaria.
– Tudo isso é ignorância: bruxaria, abismos, monstros marinhos. Bom, monstros marinhos eu também já vi... mas vamos fazer um trato. Vocês vão trabalhar duro na embarcação. Se chegarmos à costa, eu mesmo falarei pessoalmente com Dom Henrique para libertar sua mãe.
– Vamos ser engolidos pelos monstros... cairemos no abismo... Nunca mais veremos mamãe.
– Terra à vista! Terra à vista!

13. **Quem diz o quê? (Em dupla)**

- Releia o texto “Os Navegadores Portugueses” e coloque os nomes das personagens antes das falas.
- Assinale também as passagens de tempo, com expressões como *Dias depois*, *mais tarde*, *no final do dia* .

14. **Responda.**

1. Por que os meninos estão fugindo?
   Resposta: ______________________________
   ____
   ____

2. Eles tinham a intenção de viajar para a África? Explique.
   Resposta: ______________________________
   ____
   ____

3. Que idade poderiam ter os meninos. Justifique.
   Resposta: ______________________________
   ____
   ____

4. O que temiam os marinheiros? Considerando a época, 1434, você acha que tinham motivos para ter medo?
   Resposta: ______________________________
   ____
   ____

5. Algumas pessoas dizem que os navegadores portugueses da época foram mais corajosos do que os astronautas de nossa época. Você concorda?
   Resposta: ______________________________
   ____
   ____

6. Pesquise sobre Gil Eanes e sua travessia do Cabo Bojador e diga por que esse feito foi tão importante para os portugueses.
   Resposta: ______________________________
   ____
   ____

7. E seu “Bojador”? Você também já passou por algum momento de grande perigo? Conte como foi.
   Resposta: ______________________________
   ____
   ____

8. Como era o seu país por volta de 1500?
   Resposta: ______________________________
   ____
   ____

15. Pesquisa 1.

- Quem foi Gil Eanes?
- Por que seu ato heroico foi importante para os portugueses?
- Que relação isso poderia ter com o descobrimento do Brasil?

16. Pesquisa 2.

- O que é lusofonia?
- Em que países, em que regiões, em que estados e em que cidades há a lusofonia?
- Quantas pessoas falam português em todo o mundo?

17. Pesquisa 3. (Em trio)

- Cada grupo apresenta um trabalho em PowerPoint sobre um dos nove países da comunidade de países de língua portuguesa. (Máximo de dez slides.)

OS NAVEGADORES PORTUGUESES (PARTE 2)

Sessenta e seis anos depois, em 1500, Bartolomeu está bebendo vinho tinto e comendo bacalhau com azeitonas no porto de Lisboa. Há uma grande movimentação no local, pois dizem que o capitão Cabral vai para as Índias, liderando uma frota de treze navios.

Na adega, há muita controvérsia em relação à viagem de Cabral, pois alguns dizem que o mundo é redondo e que Cabral chegaria às Índias por outra rota; outros, mais ligados à religião, sentem-se ofendidos com essa visão de mundo e acaba havendo muita pancadaria entre os frequentadores do local.

O velho Bartô, como ficou conhecido, é rodeado por jovens marujos que querem saber dos abismos e dos monstros marinhos que aterrorizam os mares. O velho, então, conta sua história.

18. Reconte.

- Reconte a aventura dos dois irmãos portugueses (Os navegadores portugueses – Parte 1) do ponto de vista de Bartolomeu (sem usar falas), complementando o desfecho e inventando novos fatos.

OUTRAS GRANDES CONQUISTAS DO HOMEM

RUSSOS LANÇAM PRIMEIRO SER VIVO AO ESPAÇO

A União Soviética lançou hoje, 3 de novembro de 1957, a cadela Laika ao espaço a bordo do Sputnik 2. Dessa forma, Laika entrou para a História como o primeiro ser vivo a ser colocado em órbita. O fato aconteceu depois de apenas um mês do lançamento do Sputnik 1, que foi o primeiro satélite lançado no mundo.

Observadores de todo o mundo disseram que não acreditam que a cadela possa sobreviver à dura experiência e mostraram-se preocupados com a possível falta de oxigênio e do calor intenso dentro do foguete. Tais comentários fizeram com que pessoas de todo o mundo se mostrassem contrárias ao envio do animal ao espaço.

Porém, cientistas do mundo inteiro defenderam a experiência e disseram que ela pode significar uma valiosa contribuição para a ciência, provando que um organismo vivo pode tolerar viver no espaço a uma gravidade zero. Segundo eles, o envio de Laika pode abrir espaço para que seres humanos possam, mais tarde, ser enviados em missões espaciais.

O gênero *notícia*. Observe a estrutura do texto lido.

Título Tempo verbal: presente
Apresentação dos fatos: na ordem decrescente de importância Tempo verbal: pretérito perfeito, presente e outros Primeiro os fatos mais importantes, seguindo as questões fundamentais dos textos jornalísticos: Quem? O quê? Como? Quando? Onde?

19. Com base nas informações a seguir, crie notícias jornalísticas.

A

Quem?	Os russos
O quê?	Lançam primeiro ser humano (cosmonauta Yuri Gagarin) ao espaço
Quando?	12 de abril de 1961
Onde?	Do Cazaquistão
Como?	A bordo da nave Vostok 1
Outros...	Deu uma volta completa ao redor da Terra A uma velocidade de 28.000 km/h Yuri Gagarin disse: "A Terra é azul. Como é maravilhosa. Ela é incrível."
Outros...	Você pode acrescentar outros dados.

A

(manchete)

B

Quem?	O Homem – três astronautas norte-americanos
O quê?	Chegam à Lua (pisam no solo lunar)
Quando?	20 de julho de 1969
Onde?	Da Flórida
Como?	Com a missão Apollo 11 (Edwin Aldrin, Neil Armstrong e Michael Collins)
Outros...	Custo da missão: 20 bilhões de dólares Neil Armstrong e Edwin Aldrin foram os primeiros seres humanos a pisar no solo lunar. Permanecem por cerca de duas horas, coletando material para pesquisa. Neil Armstrong disse: "Um pequeno passo para um homem, mas um salto gigante para a humanidade."
Outros...	Você pode acrescentar outros dados.

B

(manchete)

20. **Outras notícias.**

- Crie uma notícia que você gostaria de dar.
- Transforme o texto "O descobrimento do Brasil e os índios brasileiros" em uma notícia de jornal.

21. **Sua opinião. Diga o que você pensa.**

- Quem foram mais corajosos, os antigos navegadores ou os astronautas? Por quê?
- Quais dessas conquistas foram mais importantes para a humanidade? Por quê?
- Você é a favor ou contra experiências com animais? Por quê?

Argumentos a favor	Argumentos contra
É melhor fazer testes nos animais antes de usar em seres humanos.	É possível usar pessoas voluntárias, pois elas podem dizer o que sentem com precisão.
O teste com animais salva a vida de um número enorme de seres humanos.	Os animais são maltratados nos testes, vivem presos e podem morrer.
Outros...	Outros...

22. Receita de feijoada

História: Conta-se que, no tempo da escravidão, os senhores das fazendas de café jogavam fora as partes menos nobres do porco, como o rabo, as orelhas e as patas. Os escravos, por sua vez, usavam essas partes para o preparo do guisado de feijão, que acabou dando origem à feijoada de hoje.

INGREDIENTES

- 1/2 kg de feijão preto
- 250 g de carne seca, 250 g de lombo de porco salgado
- 250 g de costela de porco salgada, 1 pé de porco
- 1 orelha de porco salgada, 150 g de toucinho defumado, picado
- 2 colheres (sopa) de azeite, 1 paio em rodelas, 1 linguiça calabresa em fatias
- 2 cebolas grandes raladas, 5 dentes de alho amassados
- 250 g de língua de porco salgada
- 1 rabo

MODO DE PREPARO

De véspera, coloque o feijão e as carnes de molho, separadamente, sempre trocando a água. No dia seguinte, cozinhe o feijão com o lombo, a costela, o toucinho, o paio, a calabresa, por 20 minutos.

Escorra a água das carnes, corte-as em pedaços, cozinhando em outra panela até que fiquem macias.

À parte, aqueça o azeite, frite a cebola, o alho e misture tudo ao feijão e às carnes. Adicione sal a gosto e deixe ferver por 20 minutos, ou até apurar bem.

Sirva com os acompanhamentos (arroz, farofa, couve-manteiga e pedaços de laranja).

E você, também sabe preparar uma comida típica de seu país? Traga a receita.

23. Pesquise.

- O que é a capoeira?
- Qual é a sua origem?
- Onde ela é praticada hoje em dia?

O RIO SÃO FRANCISCO

O rio São Francisco, com mais de 3.000 km de extensão, nasce no estado de Minas Gerais e passa pelos estados da Bahia, Pernambuco, Alagoas e Sergipe. Esses quatro estados fazem parte da Região Nordeste. São estados que sofrem muito com a seca.

Com um trabalho de irrigação, algumas áreas que sofriam com a seca já começam a dar sinais de vida. Já podemos ver ricas plantações de cacau, cana-de-açúcar e outras frutas como uva, manga, caju, laranja e banana.

O Nordeste tem nove estados (BA, SE, AL, PE, PB, RN, CE, PI e MA) e é muito bonito e rico. Em suas águas, vemos lindas espécies de peixes, além de golfinhos e enormes baleias. Por isso, é uma região muito procurada pelos turistas.

O rio São Francisco, que corta o Nordeste, leva alívio e água também através de irrigação para muitos nordestinos.

24. Responda.

1. Onde nasce o rio São Francisco?

   Resposta: ____________________

2. Quais estados ele percorre?

   Resposta: ____________________

3. Qual é a extensão aproximada do rio?

   Resposta: ____________________

4. Qual é o maior problema do Nordeste brasileiro?

   Resposta: ____________________

5. Como ele está sendo solucionado?

   Resposta: ____________________

6. Que fruta é usada para a produção de álcool?

   Resposta: ____________________

TRABALHO DE PESQUISA (MAPA DO BRASIL + JOGOS)

Pontos cardeais:

N = Norte

S = Sul

L = Leste

O = Oeste

25. **Dê os nomes das regiões.**

Norte + Leste = ______________________________

Norte + Oeste = ______________________________

Sul + Leste = ______________________________

Sul + Oeste = ______________________________

26. **Observe o mapa do Brasil e responda.**

Que estados formam as regiões:

SUL

Resposta: ______________________________

____

NORTE

Resposta: ______________________________

____

NORDESTE

Resposta: ______________________________

____

SUDESTE

Resposta: ______________________________

____

CENTRO-OESTE

Resposta: ______________________________

____

O JOVEM FRANCISCO

Há centenas de anos, num tempo em que os animais ainda falavam a língua dos homens, caminhava sedento um jovem à procura de água.

Um brilho distante no meio da mata parecia ser o reflexo do sol num filete de água. Já aliviado com a descoberta, seguiu em direção ao que achava ser um bebedouro. Mas, ao longe, começou a ouvir desesperados gritos por socorro. Seguiu em sua direção.

Ao chegar perto, viu, entre as árvores, os caçadores que mantinham toda a fauna brasileira amordaçada numa gigantesca carruagem. Eram animais fortes, mas totalmente enfraquecidos pela falta de água. Enquanto isso, seus algozes, que pretendiam vendê-los em feiras, enchiam-se de comida e de vinho.

O jovem Francisco percebeu que não adiantaria só libertá-los, pois não conseguiriam fugir por causa de sua fraqueza. Sua única chance seria trazer-lhes água. Então, esvaziou um dos barris de vinho dos caçadores, colocou-o no ombro e tomou a direção da nascente que avistara na mata.

Não foi difícil chegar à nascente com o barril vazio; o problema seria subir a encosta com o barril cheio d'água, antes de os caçadores levantarem acampamento. Além disso, o filete de água era tão pequeno que Francisco ia demorar muito tempo para encher todo o barril.

Condoídos de seu desespero, os deuses da chuva, que a tudo assistiam acima das nuvens, resolveram mandar uma chuvinha para ajudar o rapaz.

Com o barril finalmente cheio, Francisco iniciou um esforço hercúleo para alcançar o topo da Serra da Canastra, onde estavam os animais. Suas costas, seus braços, suas pernas... tudo doía, mas ele continuava sua via-crúcis.

Ao chegar ao topo, percebeu que os caçadores ainda ressonavam de tanto vinho que haviam tomado. E os animais mal conseguiam abrir seus olhos e ver o que lhes parecia ser um menino ou um anjo com um barril maior que ele às suas costas.

Bastou beberem daquela deliciosa água para se fortalecerem e se libertarem. Eram lobos-guarás, onças, tatus-bolas, gambás, araras-azuis, antas, saíras, preguiças, pacas, cobras... As mais belas espécies animais voltavam a povoar e a encantar as matas brasileiras.

É claro que seria tolice imaginar que isso bastou para proteger os animais, pois caçadores se multiplicaram e, até hoje, capturam animais silvestres a fim de vender sua pele, sua cor, seu canto para uma estranha gente de terras mais distantes.

Por isso os deuses da floresta transformaram o jovem Francisco em um caudaloso rio. Ele começa com um hipnótico marulho lá na Serra da Canastra e se alastra por um trecho de uns três mil quilômetros Brasil adentro, e vai levando vida, água e peixe para os animais e para os homens bons. Estes, agradecidos, o chamam de "Chico", ou de "São Francisco, o guardião dos animais".

27. Responda.

1. O que os caçadores queriam fazer com os animais?

   Resposta: ____

   ____

2. O que você sabe sobre a comercialização de animais?
Resposta: ____
____

3. Por que Francisco não tentou libertar os animais primeiro?
Resposta: ____
____

4. Francisco recebeu alguma ajuda para libertar os animais? Comente.
Resposta: ____
____

5. Há algumas referências religiosas no texto. Quais são elas?
Resposta: ____
____

6. Há elementos verídicos no texto? Comente.
Resposta: ____
____

28. O que não combina nos conjuntos?

- rio – baía – caçador – vale
- jacaré – tigre – preguiça – arara
- água – aguardente – pão – vinho
- caudaloso – duro – extenso – sinuoso

29. Marque V para verdadeiro e F para falso, depois compare com as respostas dos colegas, justificando suas respostas.

1. "O jovem Francisco" é um texto de ficção. ( )
2. "O jovem Francisco" é uma lenda. ( )
3. "O jovem Francisco" é uma fábula. ( )
4. "O jovem Francisco" é uma reportagem. ( )
5. Francisco tem raiva dos caçadores. ( )
6. Francisco transforma-se em rio. ( )
7. Os deuses sentem pena do jovem. ( )
8. Francisco age com sabedoria. ( )
9. Os caçadores são corajosos. ( )

30. Pesquise e depois apresente para seus colegas. (Em grupo)

1. Qual é o rio mais caudaloso do mundo?
2. Qual é o rio mais extenso do mundo?
3. Qual é o rio mais famoso do mundo?
4. Discorra sobre a declaração: os rios são fundamentais para a criação de cidades.

Presente do Subjuntivo			
Formação regular			
Eu	CANTE	VENDA	ABRA
Você Ele Ela	CANTE	VENDA	ABRA
Nós	CANTEMOS	VENDAMOS	ABRAMOS
Vocês Eles Elas	CANTEM	VENDAM	ABRAM

Formação irregular 1			
Eu	DIGA	POSSA	TENHA
Você Ele Ela	DIGA	POSSA	TENHA
Nós	DIGAMOS	POSSAMOS	TENHAMOS
Vocês Eles Elas	DIGAM	POSSAM	TENHAM

31. **Continue como no modelo (Irregular 1):**

trazer (trago)	**traga**	**traga**	**tragamos**	**tragam**
pôr (ponho)				
ver (vejo)				
vir (venho)				
pedir (peço)				
ouvir (ouço)				
cobrir (cubro)				
descobrir (descubro)				

32. **Continue como no modelo (Irregular 2):**

saber (saiba)				
querer (queira)				
haver (haja)				
caber (caiba)				
estar (esteja)				
ser (seja)				
ir (vá)				
dar (dê)				

33. **Observe os desenhos e depois forme frases, usando as expressões de forma condizente com cada situação. Ganha a primeira dupla que terminar as sentenças corretamente. (Em dupla)**

5
6
7
8
9
IPED
10

11

12

EXPRESSÕES

Tomara que (ela goste do livro)	Sinto muito que...	Eu quero que...	Não acho legal que...
É pena que..	Espero que...	É melhor que...	É melhor que...
Duvido que...	Não acredito que...	Não quero que...	Torço para que...

FRASES:

1. ______________________________
2. ______________________________
3. ______________________________
4. ______________________________
5. ______________________________
6. ______________________________
7. ______________________________
8. ______________________________
9. ______________________________
10. ______________________________
11. ______________________________
12. ______________________________

O subjuntivo é usado depois de expressões, como...

É MELHOR QUE / É BOM QUE / É ACONSELHÁVEL QUE / EU QUERO QUE / TOMARA QUE ESPERO QUE / DUVIDO QUE / TORÇO PARA QUE / DESEJO QUE / É ÓTIMO QUE / TALVEZ É PENA QUE / SINTO MUITO QUE...

34. **Use uma das expressões e proceda como no modelo.**

SINTO MUITO QUE / TOMARA QUE / DUVIDO QUE

1. Estou resfriado.
   – Sinto muito que você esteja resfriado.
2. Estou muito feliz.
   – ______________________________
3. Trabalho pouco e ganho muito dinheiro.
   – ______________________________
4. Leio pouco durante a semana.
   – ______________________________
5. Tenho um milhão de reais no banco.
   – ______________________________
6. Estou muito triste.
   – ______________________________
7. Faço todos os deveres de casa.
   – ______________________________
8. Eu sempre digo a verdade.
   – ______________________________
9. Não há aula amanhã.
   – ______________________________
10. Cabem dez pessoas dentro do fusca.
   – ______________________________
11. Venho de bicicleta para a escola.
   – ______________________________
12. Ouço ótimas canções no rádio.
   – ______________________________

35. **Que adjetivos podemos usar para caracterizar as personagens do quadro a seguir?**

O adjetivo pode ser repetido, desde que seja adequado. Depois de preencher, justifique suas escolhas para seus colegas.

corajoso / organizado / cansativo / aventureiro / criativo / barulhento / jovem / inocente / científico / supersticioso / caríssimo / ambicioso / inteligente / bondoso / competitivo / trabalhador / generoso / arriscado

PORTUGUÊS	ÍNDIO	RUSSOS	FRANCISCO	VIAGEM
______	______	______	______	______
______	______	______	______	______
______	______	______	______	______
______	______	______	______	______
______	______	______	______	______

36. Quebra-cabeça (postal) ou cartões de vocabulário.

37. **Música.**

PEIXINHOS DO MAR

(Domínio Público)

quem te ensinou a nadar
quem te ensinou a nadar
foi, foi marinheiro
foi os peixinhos do mar
foi foi marinheiro
foi os peixinhos do mar
êi nós, que viemos de
outras terras, de outro mar
êi nós, que viemos de
outras terras, de outro mar
temos pólvora, chumbo e bala
nós queremos é guerrear
temos pólvora, chumbo e bala
nós queremos é guerrear
quem te ensinou a nadar
quem te ensinou a nadar
foi foi marinheiro
foi os peixinhos do mar
foi foi marinheiro
foi os peixinhos do mar

Lendas do Brasil

São Francisco, o rio e o santo

A MENINA QUE ENGOLIA SAPOS – ENCENAÇÃO

APRESENTAÇÃO DAS PERSONAGENS:

Severo: Pescador carioca rude, adora beber **cerveja**.
Ritinha: Camponesa, dona de casa que trabalha muito.
Seu Januário: Dono de terras muito rico. Gosta de ser tratado por "**meu rei**".
Dona Juliana: Filha do seu Januário, tratada como **princesa**, mas não consegue se livrar das vontades do pai e vive "engolindo **sapos**".
Machado: O **cozinheiro** baiano de seu Januário. Conhecido como "O príncipe das moquecas".
Valente: O **segurança** gaúcho de seu Januário.
Assis: O **motoboy** paulistano que leva e traz os recados de seu Januário.
Socó: **Jardineiro** mineiro, espécie de conselheiro de seu Januário.

OBJETOS SUGERIDOS: guardanapo; pratos, talheres e panelão; gelo seco; sapos; balões em forma de coração; seringa gigante; roupas ou acessórios para caracterizar cada região do Brasil mencionada; pote enorme escrito "pimenta"; desenho de vaca; cartazes com dizeres, lápis enorme.

CENA 1

No salão do palacete de seu Januário.
*(O cozinheiro Machado aparece ao lado, na cozinha, colocando os ingredientes da moqueca num **caldeirão com gelo seco.**)*

Cozinheiro: – Vou me casar com a dona Juliana e ganhar um dote de R$ 1.000.000,00 (um milhão de reais) do seu Janu, aquele bobão. (... *mas ouve a conversa de Valente com dona Juliana*)
Juliana: – Oi, Valente!
Valente: – Oi, dona Juliana!
Juliana: – Não precisa me chamar de **dona** Juliana.
Valente (Feliz): – É mesmo?

Juliana: – Pode me chamar de **senhorita, dona** Juliana.
Valente (Todo sorridente): – Sim senhora.
Juliana: – Sim, **senhorita**. Senhora é para mulheres casadas.
Valente: – Por falar nisso, a **senhorita** já vai fazer dezoito anos e vai se casar. Quem vai ser o sortudo?
Juliana (Segurando um balão vermelho em forma de coração): – Adivinha?
Valente (Com ar de apaixonado, suspira): – Aaaaaah!
Cozinheiro: (Decepcionado, de vingança, coloca muita pimenta e um sapo enorme dentro do caldeirão.)
Seu Januário entra na sala.
Seu Januário (Senta-se com Juliana à mesa de guardanapo): – Cozinheiro! Cozinheiro!
Cozinheiro Machado (Sotaque baiano): – Pois não, meu rei?
Seu Januário: – E a moqueca sai ou não sai?
Cozinheiro: – Pode servir, painho?
Seu Januário: – Pode servir. (Para dona Juliana): – Minha princesa, você já vai fazer dezoito anos e precisa se casar.
Juliana: – Legal! Vamos fazer um baile funk e sacudir esse palacete.
Seu Januário: – Eu odeio baile funk! Vamos fazer um concerto de rock.
Juliana ("Engolindo sapo"): – Glup!
Cozinheiro: (Entra com o caldeirão e serve a sopa nos **pratos de plástico com gelo seco** e coloca o sapo enorme no prato de Juliana.)
Seu Januário: – O importante é o casamento!
Juliana (Olhando para Valente): – E o noivo!
Valente (Segurando um balão vermelho em forma de coração): – E o noivo, guria!
Seu Januário (Olhando sorridente para o segurança): – E o noivo. E precisamos de um noivo que seja... forte.
Valente (Fazendo os gestos): – Forte e guapo, tchê.
Juliana (Bate palmas): – Lindo, lindo!
Seu Januário: – Elegante.
Valente (Fazendo os gestos): – Elegante, tchê.
Juliana (Bate palmas): – Lindo, lindo!
Seu Januário: – Inteligente.
Valente (Põe óculos): – Inteligente, tchê.
Juliana (Bate palmas): – Lindo, lindo!
Seu Januário: – Enfim, precisamos de um noivo que tenha sangue real.
Valente (Olha para suas veias): – Sangue real e trilegal.
Juliana (Bate palmas, olhando para Valente): – Um verdadeiro príncipe.
Seu Januário: – Um verdadeiro príncipe. O nosso noivo será...
Valente e Juliana (Entreolhando-se apaixonados)
Seu Januário: – "O príncipe das moquecas à baiana", nosso cozinheiro Machado.
(Cozinheiro entra na sala com um machado na mão, sorriso diabólico.)
Juliana (Estoura bolão vermelho e engole o sapo): – Glup!

Valente: (Estoura o balão vermelho).
Seu Januário: – O que houve, Juju? Será que foi a pimenta?
Cozinheiro: (Esfregando a mão com cara de mau.)

CENA 2

Enquanto isso, na roça...

Narrador: *Severo é pescador. Ele pesca no rio para vender seus peixes na feira. Na verdade, ele é muito preguiçoso, e gasta todo o dinheiro que ganha com cerveja. E quando ele bebe, ele fica muito malvado, e bota sua Ritinha para trabalhar.*

(Severo aparece com vara de pescar)
Severo: – Ritinha! Ritinha! Quero mais cerveja! Ritinha! Ritinha! Cadê você, mulher?
Ritinha: O que é? O que é?
Severo: – "O que é? O que é?". Fala direito comigo. Eu sou seu marido. Onde você estava?
Ritinha: – Não é da sua conta. Algum problema?
Severo: – Muitos problemas. Você já fez minha **comida**? Já arrumou a **casa**? Já lavou a **roupa**? Já trocou a **fralda** do neném?...
Ritinha: Que neném? Esqueceu que a gente não tem filhos? Mas já vou fazer sua **comidinha**, arrumar sua **caminha**, lavar sua **roupinha**. E você, quando vai arrumar um **trabalhinho**?
Severo: – Qual é, cara? Eu não saio pra pescar todo dia?
Ritinha: É, todo dia você sai pra **enrolar**. Tomar cerveja no rio. Pensa que eu não sei, seu preguiçoso?!
Severo: – O quê? Preguiçoso? Todo dia eu trago um peixinho pra você fritar. E você só precisa cuidar da casa.
Ritinha: – Duas sardinhas.
Severo: – Sua fofoqueira, você tem que trabalhar. Vou pescar do outro lado do morro. E quando eu voltar, quero minha comida pronta.
Ritinha (Pensa): "Você ainda me paga, seu danado."
Narrador: A pobre mulher está sentada em frente à sua casa, toda dolorida de tanto trabalhar, quando Assis, o motoboy, passa em frente.
Ritinha: Quem é o senhor? Está perdido?
Assis: – Mais ou menos. Estou procurando um encanador, ou um professor de Português, ou um médico para a filha do patrão.
Ritinha: O quê? A filha de seu Januário...? Dona Juliana está doente?

Assis: – Sim, ela perdeu a fala. Comeu uma moqueca de peixe à baiana e desde então não dá mais um pio.
Ritinha: O quê? A dona Juliana está muda? Coitada!
Assis: – É, acho que as palavras entupiram a tubulação de sua garganta. Bom, preciso ir.
Ritinha (Tem uma ideia): – Espera! Espera!Acho que meu marido pode ajudar.
Assis: – O quê? Seu marido é encanador?
Ritinha: – Não. Infelizmente, não.
Assis: – É professor de Português?
Ritinha: Não. Graças a Deus, não! Ele é médico.
Assis: – Médico?
Ritinha: – Sim, mas ele é meio esquisitão. Você tem que dar muito trabalho para ele virar médico. Quanto mais ele trabalha, melhor médico ele fica.
Assis: – E onde está esse cara, meu?
Ritinha: Pescando do outro lado do morro. O nome dele é Severo.
Assis: – E como eu chego até lá?
Ritinha: O senhor está vendo aquela estrada perto da laranjeira?
Assis (Encaminhando-se apressado): – Sim, obrigado.
Ritinha: O senhor **não vai** por ela, porque tá cheia de ladrões.
Assis (Irritado): – E qual é a **boa estrada** para a cidade?
Ritinha: O senhor está vendo aquela estrada perto da bananeira?
Assis: – Já sei: "O senhor não vai por ela, porque tá cheia de ladrões.".
Ritinha: Não, aquela estrada é muito boa.
Assis: – Então, obrigado e até logo.

CENA 3

À beira do rio
Assis: – Severo! Severo! Onde você está, meu?
Severo: Quem é você, cara? O que você quer comigo?Hic!
Assis: – Eu sou o motoboy oficial do seu Januário. E você vai medicar a mocinha, dona Juliana.
Severo: – Medicar...? A filha do patrão...? Eu...? Você andou bebendo, seu maluco? Hic!
Assis: – Mais respeito com o motoboy oficial do seu Januário das Alagoas, seu imbecil.
Severo: – Tudo bem, desculpa.
Assis: – Tenho uma lista de tarefas para você. Primeiro você vai lavar os vinte banheiros do palácio.
Severo: Lavar banheiro? Eu? Mas por quê, seu playboy? Hic!
Assis: – Mo-to-boy! E isso é para você ficar um bom médico e curar a Juju, meu.
Severo: Médico? Mas eu não sou médico.
Assis: – Sei que quanto mais você trabalha, melhor médico você fica, seu doutor maluco. Segundo: você vai varrer todo o palácio do seu Juju.
Severo: Varrer, não; fico com dor nas costas. Pode parar, pode parar; eu vou com você até o palacete do seu Januário. Mas chega de trabalho.
Assis: – Terceiro: você vai trocar toda a roupa de cama do palácio.
Ritinha (Escondida atrás de uma bananeira, observa tudo e morre de rir.): Ah! Ah! Ah! Bem feito! Bem feito! Bem feito! Bem feito!

CENA 4

De volta à residência de seu Januário...

Cozinheiro Machado: – Gostaria de um chá, minha princesa?

Juliana (Escrevendo com um lápis gigante – cartazes escritos prontos.): – "Eu não sou sua princesa, mané!".

Cozinheiro Machado: – É assim que fala com seu noivinho, minha flor? Posso fazer uma sopa de letrinhas.

Juliana (Escrevendo com um lápis gigante – cartazes escritos prontos.): – "Vai catar coquinho, seu bigodudo!".

Cozinheiro Machado: – Não adianta reclamar, você vai se casar comigo.

Juliana: – "Nem morta."

Cozinheiro Machado: – Casa comigo, meu anguzinho à baiana.

Juliana (Aponta o desenho de uma vaca e faz "Cof! Cof! Cof!")

Cozinheiro Machado: – Não estou entendendo, meu chuchu.

Valente (Explicando.): – Ela está dizendo que não se casa contigo nem que a vaca tussa, lambão!

Entra o seu Januário

Narrador: *Seu Januário está muito preocupado porque a sua filha não pode comer nem beber nem falar há dias. Ele anda pra lá e pra cá e toda hora pergunta para seu segurança se o médico já chegou ao seu palacete.*

Seu Januário (Muito preocupado): – Valente, o médico já chegou?

Valente: – Ainda não, coronel.

Seu Januário: – Que história é essa de coronel? Aqui não é caserna, seu incompetente! Está despedido!

Valente: – Sim senhor, comandante.

Seu Januário: – Cozinheiro, onde está meu chá, cabra?

Cozinheiro: – O senhor pediu chá, meu rei?

Seu Januário: – Eu não preciso pedir, seu incompetente. Está despedido!

Cozinheiro: – Sim senhor, painho.

Seu Januário: – Puxa vida! Esse médico não vem. Minha filha está muito doente.

Socó (Segurando um tesourão): Calma, patrãozinho. Eles já estão a caminho.

Seu Januário: – Como posso ter calma, bocó?

Socó: – Bocó, não. Socó

Seu Januário: – Socó, Bocó, Bobó de camarão... Vai ver se o médico já chegou.

Cozinheiro: – Pediu um bobozinho, meu rei?

Seu Januário: – Some daqui! Você está despedido de novo!

Socó: – Estou ouvindo gritos. Acho que é o motoboy. Eu vou lá abrir a porrteira, sô!

Assis entra com Severo, que entra reclamando muito.

Seu Januário: – Seu motoboy idiota, você andou maltratando o doutor?

Assis (Baixinho para seu Januário): – Patrão, esse doutor é meio maluco. A mulher dele disse que ele só é um bom médico quando a gente bota ele pra trabalhar muito.

Seu Januário: – Ah, é? Então... Valente! Valente!

Socó: – Mas o senhor despediu o guarrrrda, patrãozinho.

Seu Januário: – Contrate-o de novo, Popó.

Socó: – Socó!

Seu Januário: – O quê? Você está chamando o seu patrão de Socó, cabra?

Socó: – Deus me livre, patrãozinho. Eu só estou dizendo que eu não me chamo Popó e sim Socó, uai.

Valente (Entrando rapidamente): – Pois não, chefão.

Seu Januário: – Valente, esse homem tem que dar duro até ele se tornar um bom médico.

Valente: – É pra já, tchê.

Seu Januário: – Puxa, estou ficando nervoso. Cozinheiro, onde está o meu chá?

Socó: – Mas o senhorrrrr despediu o cozinheiro, meu patrãozinho.

Seu Januário: – Contrate-o de novo, seu Cocó.

Bobo: – Socó, uai!

Seu Januário: – E para de me chamar de Socó.

Cozinheiro: – Oh xente, aqui está seu chá, meu rei.

Narrador: Valente bota Severo para trabalhar. Até que chega uma hora em que ele diz: "Chega, eu não aguento mais!".

Severo: – Chega! Eu não aguento mais! Agora, vamos fazer o jogo da verdade? Eu começo: **Eu-não-sou-mé-di-co, sacou?**

Todos: – Oooh!

Valente: – Minha vez: **Eu sou apaixonado pela guria dona Juliana, tchê.**

Todos: – Oooh!

Assis (Coçando a cabeça): – **Eu estou cheio piolho, meu**.

Todos: – Oooh!

Socó (Coçando a cabeça): – **Eu também, uai.** E descobri que o cozinheiro tem mulher e filhos na Bahia.

Todos: – Oooh!

Seu Januário: – **Eu adoro ser chamado de "meu rei"**.

Todos: – Oooh!

Cozinheiro: **Fui eu que coloquei o sapo na moqueca**.

Todos: – Oooh!

Juliana (Faz um esforço enorme para falar e finalmente solta um enorme sapo de sua boca): – Plopt!

Socó: – Cruz credo, sô! Que trem é esse saindo da boca da sinhá dona Juliana, uai?

Juliana: – **Eu quero me casar com o Valente**! Opa! Estou curada! (Mostra um cartaz e diz ao mesmo tempo:) Estou curada!Já posso falar!

Todos: – Viva!

Seu Januário: – Severo, você é um ótimo médico; seu método é muito bom. Popó, quer dizer, Socó, arranje um diploma de médico e um cartão de crédito para o doutor.

Assis: – Quer uma carona pra casa, doutor?

Severo: – Não, valeu. Eu não posso sentar. Ai! Ai! Ai! Estou quebrado de tanto trabalhar. A partir de agora, vou sempre ajudar a minha Ritinha com as tarefas de casa.

Ritinha: – Tá tudo muito bem, tá tudo muito bom, mas quem vai se casar com a dona Juliana?

Seu Januário: – O príncipe das moquecas.

Juliana: – Uma pinoia! Eu não engulo mais sapos. Eu vou me casar com o Valente.

Narrador: *O casamento foi um sucesso. E Severo parou de beber e nunca mais explorou a Ritinha. Ele começou a estudar plantas medicinais que tinha perto de sua casa e passou a tratar das pessoas. Todas as pessoas da região, quando estavam doentes, com dor de barriga, com dor de dente, com dor de cabeça passaram a procurar o* ***doutor*** *Severo.*

(Severo, com uma injeção enorme, sai correndo em câmera lenta atrás de todos os personagens apavorados.)

Observe as expressões do quadro a seguir utilizadas no texto. (Em dupla)

bigodudo	bem feito	engolir sapos
guapa	catar coquinho	não é da sua conta
enrolar	dar duro	não dar mais um pio
trilegal	sortudo	graças a Deus

1. Substitua as expressões sublinhadas por expressões do quadro anterior.

1. A dona Juliana aguentava tudo calada.

2. Ela ficou com raiva e o mandou para o inferno.

3. O Severo ficava bebendo e pescando em vez de trabalhar.

4. Valente era um cara muito legal.

5. Seu Janu usava um bigodão.

6. Dona Juliana era uma gata.

7. Severo tinha muita sorte.

8. Valente botou Severo para trabalhar muito.

9. Ritinha, quando viu Severo apanhar, pensou: "Você mereceu".

10. "O que o senhor motoboy vai fazer na cidade?" "Não te interessa."

11. Juliana engoliu um sapo tão grande que não falava mais nada.

12. A história teve um final feliz, ainda bem.

2. **Qual é a naturalidade (estado de origem e adjetivo correspondente) das pessoas que usam as gírias e expressões típicas a seguir? (Em dupla)**

Gírias e expressões típicas	Estado de origem	Adjetivo correspondente
Cara	Rio de Janeiro	fluminense (carioca)
Meu		
Tchê		
Cabra		
Uai		
Meu rei		
Trilegal		
Gíria de sua região:		

3. **Qual é a gíria mais usada na sua região?**

Explique-a.

4. **Recontando a história.**

Cada participante conta uma parte da história, do ponto de vista de Severo. (Em grupo)

Anos mais tarde, Severo levou sua netinha para pescar. No caminho, aproveitou para mostrar à menina algumas ervas medicinais. A menina, curiosa, perguntou-lhe como ele havia se tornado um curandeiro tão respeitado na região e ele lhe contou toda a sua história:

...

5. **Quem faz o quê? Que objetos fazem parte de sua atividade?**

	Jardineiro	Pescador	Latifundiário	Camponês	Segurança	Cozinheiro
O que faz?	poda				vigia	
Objeto		vara de pescar				frigideira
Objeto			vaca			

6. **Sua opinião.**

Severo, no início da história, deixa sua mulher trabalhando sozinha em casa.

O que você pensa sobre isso?

Resposta: ____________________

____

____

____

____

____

____

7. O que você faria?

Se você fosse Ritinha, o que você faria?

( ) Eu contaria para a polícia que Severo abusa de mim.

( ) Eu não falaria nada para ninguém.

( ) Eu não cozinharia para ele.

Se você fosse Severo, o que você faria?

( ) Eu lavaria os pratos para Ritinha.

( ) Eu pediria para o motoboy varrer a casa.

( ) Eu me casaria com a dona Juliana.

( ) Eu levaria Ritinha ao teatro toda sexta-feira.

( ) Eu compraria um vestido novo pra Ritinha.

Se eu fosse a Juliana, eu...

( ) Nunca mais comeria moqueca à baiana.

( ) Eu despediria o cozinheiro.

( ) Eu faria um grande baile no palácio.

Se eu fosse o Valente, eu...

( ) Eu fugiria com Juliana para o Rio Grande do Sul.

( ) Eu faria um bom churrasco para o seu Janu.

( ) Eu mandaria o Machado ir catar coquinho.

Se eu fosse o Machado, eu...

( ) Voltaria para a Bahia.

( ) Eu abriria um restaurante no centro de Maceió.

( ) Eu chamaria minha família para morar comigo.

8. Pergunte. (Em dupla)

1. ____?

   Resposta: Ritinha fez a comida e arrumou a casa.

2. ____?

   Resposta: Porque o cozinheiro não queria que Juliana dissesse com quem ela queria se casar.

3. ____?

   Resposta: Porque o seu Januário adorava a cozinha baiana.

4. ____?

   Resposta: No final, Juliana fez uma grande festa com baile funk.

5. ____?

   Resposta: Porque o cozinheiro não lhe trouxe o chá.

6. ____?

Resposta: Ela era apaixonada por Valente.

7. ____?

Resposta: Ele tornou-se um ótimo médico.

8. ____?

Resposta: Ele levava os recados do seu Januário.

9. Ordene a história, numerando as partes, de acordo com os elementos constitutivos do texto. (Em dupla)

A MOÇA QUE ENGOLIA SAPOS E O MÉDICO PIRADO

PARTE A	
( ) A alguns quilômetros dali, o motoboy encontrou Ritinha, uma dona de casa muito trabalhadora, mas que era explorada por seu marido quando ele bebia. Ele era um pescador carioca que não gostava nada, nada de trabalho. Ritinha, quando soube do caso, ficou morrendo de pena de dona Juliana. E, para vingar-se de seu marido, resolveu arriscar um plano: disse para Assis que seu marido era médico, só que era meio esquisitão e não queria que os outros soubessem disso. Por isso Assis teria que fazê-lo trabalhar muito para ele admitir que era médico. Mas ele deveria continuar trabalhando, que ele iria tornar-se um médico ainda melhor.	( ) Há muitos anos, vivia no estado de Alagoas um homem muito, muito rico, dono de muitas terras, chamado Januário. Ele tinha uma filha muito bonita que se chamava Juliana. Ela tinha dezessete anos e logo iria se casar, pois, como era o costume local, as moças se casavam ao completar dezoito anos. Seu problema era que ela precisava fazer todas as vontades de seu pai, por isso vivia "engolindo sapos". Dona Juliana era apaixonada por Valente, um gaúcho que fora contratado para ser segurança de seu pai. O gaúcho também parecia muito apaixonado por ela. Mas como a menina era muito tímida, não contara sobre seus desejos para seu pai.
( ) No palacete de seu Januário, trabalhava um cozinheiro recém-chegado de Salvador que atendia pelo nome de Machado, e era conhecido por aquelas bandas como "O Príncipe das Moquecas à Baiana". Machado era vingativo e interesseiro, e pretendia se casar com dona Juliana para tornar-se um homem rico com o dote que ganharia. Um dia, ao preparar uma moqueca para seu Januário e a filha, soube que dona Juliana iria se casar. Mas como já notara que ela era apaixonada por Valente, colocou um sapo enorme dentro da moqueca para que a jovem engolisse e não pudesse dizer quem iria escolher para ser seu noivo.	( ) Dona Juliana que, mesmo muito habituada a "engolir sapos" impostos por seu pai, que iam desde a escolha das roupas que devia usar até as amizades que fazia, ficara muito mal com aquele sapão que engolira em sua última refeição: não poder dizer que queria casar-se com o gaúcho Valente. Então o plano de Machado deu certo porque, além de tudo, ele fazia todas as vontades de seu Januário, tratando-o por "meu rei", pois sabia que seu patrão adorava que se lhe dirigissem assim. Preocupadíssimo com o estado de sua filha, o pobre homem (rico) mandou seu motoboy, Assis, que era assaz veloz, procurar um especialista em entupimento de letras, um encanador, um professor de Português ou mesmo um médico, para desentupir as palavras da garganta de dona Juliana, que por causa disso não comia nem bebia nem falava há dias.

PARTE B	
( ) Então Machado cortou a conversa e admitiu que colocara o sapo na sopa, quer dizer, na moqueca de dona Juliana. Aí, todos se voltaram para a mocinha que mudava e mudava de cor. Até que algo enorme foi passando por sua garganta e saindo por sua boca. Finalmente, o enorme sapo saltou de sua garganta e ela, desengasgada, soltou a frase bombástica: "Eu quero me casar com o Valente!" Percebendo que estava curada, ela gritou feliz da vida: "Estou curada! Estou curada!". Seu Januário, insensível, disse que dona Juliana iria se casar com o cozinheiro Machado. Mas dona Juliana "rodou a baiana" (pela primeira vez): "Eu vou me casar com o Valente." e "bateu o pé" (pela primeira vez): "E, no meu casamento, vamos sacudir esse palácio com um baile funk. Nada de roque! Nada de forró! Se você gosta tanto do Machado, você é que deve se casar com ele."	( ) Dessa vez, "caiu a ficha" de seu Januário. E ele estava tão aliviado com a recuperação da filha que, de recompensa, deu um diploma de médico, um tablet e um cartão de crédito para o 'doutor' Severo. A festa foi chata para quem odiava funk, mas os funkeiros se acabaram. Dançaram até o galo cantar de madrugada. Severo levou o incidente a sério e começou a estudar as plantas e a tratar das pessoas que viviam nas terras de seu Januário. A bem da verdade, era um médico meio rude, mas curava dor de barriga, dor de estômago, dor de dente, dor de cabeça e outros males.
( ) Mas finalmente o jardineiro Socó, que era o único que com sua calma de mineiro conseguia acalmar o coronel, quer dizer, o seu Januário, ouviu os gritos de Severo chegando com o motoboy. Seu Januário achou estranha a história de que Severo precisava "dar muito duro" para tornar-se um bom médico, mas sua preocupação maior era curar sua filha. Não aguentando mais as tarefas que recebia do valente Valente, o severo Severo resolveu dizer toda a verdade, ou seja, confessar que não era médico de verdade. Isso provocou uma onda de confissões espontâneas, e todos foram dizendo suas verdades: Valente confessou que era apaixonado por dona Juliana, Assis confessou que estava com piolho, Socó confessou que também estava com piolho e revelou que Machado era casado e tinha cinco filhos na Bahia, Machado confessou que era casado e que tinha cinco filhos na Bahia, seu Januário confessou que adorava ser chamado de "meu rei".	( ) Dito e feito, Assis foi atrás do carioca que estava no rio do outro lado do morro e começou a chamá-lo de doutor e a dar uma lista de tarefas para ele nele. Severo, o pescador, acabou admitindo que era médico e foi acompanhando o motoboy para o palácio do seu Januário. Ritinha, que a tudo assistia atrás de uma bananeira, ria muito e pensava: "Bem feito, bem feito!" Seu Januário estava nervosíssimo com a demora de Assis com o médico. Chegou até a despedir o segurança e o cozinheiro. O segurança, porque odiava quando ele o chamava de "coronel", nome que se dá aos ricos proprietários de terra do Nordeste; o cozinheiro, porque não adivinhou que ele queria um chá.

10. **Marque as expressões que indicam a sequência da história.**

11. **Há informações diferentes nos dois textos? Quais?**

12. **Pé de quê? Faça como no modelo.**

a laranja	a laranjeira
o abacate	o abacateiro
a banana	
	a mangueira
	a macieira
a pera	
o mamão	
	o limoeiro
o caju	
a jaca	

13. **A moça que engolia sapos.**

É verdade! (V)	**É mentira! (M)**
1. Severo e Ritinha moravam perto da praia .	( )
2. Eles moram na floresta.	( )
3. Severo é médico.	( )
4. Seu Januário despediu o cozinheiro.	( )
5. Socó é bobo.	( )
6. Severo era esquisitão.	( )
7. O cozinheiro fez um chá para seu Januário.	( )
8. Eu adoro moqueca de peixe à baiana.	( )
9. Às vezes, eu também “rodo a baiana”.	( )
10. Quando eu quero uma coisa, eu bato o pé até conseguir.	( )
11. Eu também quero ser coronel no Nordeste.	( )
12. O motoboy anda de motocicleta.	( )

14. Seu, sua.

Escreva (1) quando há ideia de posse; (2), introduzindo ofensa; e (3), substituindo "senhor".

1. Seu Januário é um ótimo pai. ( )
2. Para de me encher, seu maluco! ( )
3. Sua mulher mora no Rio. ( )
4. Sabe onde mora o seu Severo? ( )
5. Sei lá onde fica sua casa. ( )
6. Está despedido, seu incompetente! ( )

15. Pesquisas relacionadas ao texto. (Em grupo)

- Em que regiões o Brasil é dividido? Que estados compõem essas regiões?
- De onde são as personagens apresentadas na história "A mocinha que engolia sapos e o médico pirado" (cidades, estados)? Apresente algumas características dessas localidades, como fauna, flora, comida típica, hábitos, festas típicas, indumentários, etc.
- Pesquise os falares típicos dessas regiões mencionadas. Como falam os cariocas? E os paulistanos? E os mineiros? E os alagoanos? E os gaúchos? E os baianos?
- Apresente algumas músicas típicas dessas cidades e estados, observando sotaque e outros aspectos culturais relacionados às regiões.

16. Onde fica a estrada principal para a cidade?

SEGUE EM FRENTE / VIRA À DIREITA / VIRA À ESQUERDA / ENTRA NAQUELA ESTRADINHA / ATRAVESSA UMA PINGUELA / SOBE O MORRO / SEGUE PELO RIACHO

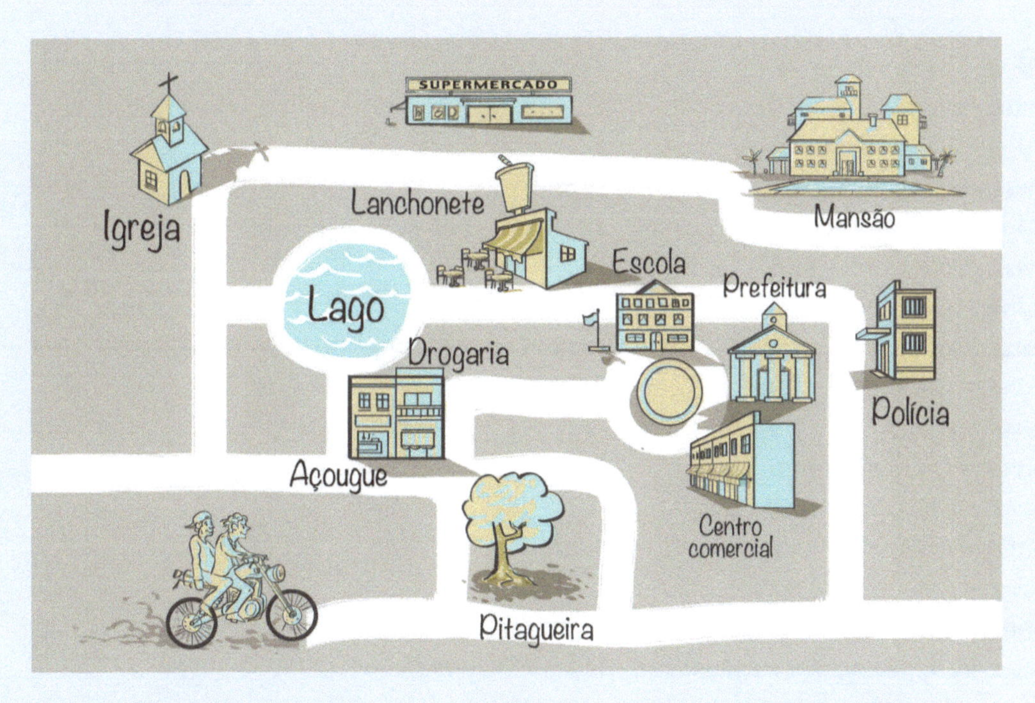

Pergunte a seu parceiro como chegar aos lugares descritos no mapa. (Em duplas)

EXEMPLO:

Assis: – Boa-tarde, pode me dizer como eu pego a estrada para a cidade?
Ritinha: – O senhor entra na estrada ao lado da pitangueira...
Assis: – E depois?
Ritinha: – Depois, o senhor...

BUMBA-MEU-BOI – ENCENAÇÃO

CENA 1

Mateus e Catirina dormem em uma cama.

(O lençol é curto e os dois o puxam para si. Quando um se cobre, o outro fica descoberto. O que fica coberto começa a roncar, e outro acorda chateado. Até que Mateus se levanta e pega outro lençol. Mas quando parece que finalmente vai dormir em paz, é acordado por Catirina.)

Catirina: – Mateus!
Mateus: – Hum?
Catirina: – Cê tá acordado, ômi?
Mateus: (Irritado) – Agora que ocê me acordou, tô.
Catirina: – Cê fala direito comigo, ômi! Qui cê sabe que eu tô esperando neném.
Mateus: (Sonolento) – Eu tô.
Catirina: – Cê tá o quê?
Mateus: (Novamente irritado) – Falando direito com ocê, ora. ZZZZZZZZZZZZZZZZZ!
Catirina: – Mateus!
Mateus: – Hum?
Catirina: – Cê tá acordado, ômi?
Mateus: – Deixa eu dormir, muié.
Catirina: – Tô com vontade de comer jerimum.
Mateus: – Amanhã ocê come.
Catirina: – Tem que comê hoje. Senão, você sabe. Seu fiu vai nascer com cara de jerimum.
Mateus: (Arregala os olhos assustado) – Né que é verdade, muié?!
Catirina: – Pois acho bom ocê ir logo providenciando meu jerimum.

CENA 2

Catirina está à mesa comendo uma enorme abóbora.

Catirina: – O pessoá da cidade diz que isso né jirimu não. Que é abobra.
Mateus: – Fala direito, sô! Parece inté caipira! Num é abobra, é abroba!
Catirina: – Abroba, abrobra. Eu tô injuada disso. Eu quero memo é comê um pipino bem do bão.
Mateus: – Pipino, não! Onde eu vô arrumá um pipino com essa seca braba?
Catirina: – Ti vira, ômi!
Mateus: – Já sei. Sinão meu fiu vai nascer cum cara di pipino. Tô lascado memo.

CENA 3

Mateus e Catirina dormem em uma cama.
(Cena 1 se repete: O lençol é curto e os dois o puxam para si. Quando um se cobre, o outro fica descoberto. O que fica coberto começa a roncar, e outro acorda chateado. Até que Mateus se levanta e pega outro lençol. Mas quando parece que finalmente vai dormir em paz, é acordado por Catirina.)

Catirina: – Marido!
Mateus: – Hum?
Catirina: – Cê tá acordado, ômi?
Mateus: (*irritado*) – Agora que cê me acordô, tô.
Catirina: – Cê fala direito comigo, que cê sabe que eu tô esperando neném.
Mateus: (*sonolento*) – Eu tô.
Catirina: – Cê tá o quê?
Mateus: (novamente irritado) – Falando direito com ocê, ora. ZZZZZZZZZZZZZZZZZ!
Catirina: – Marido!
Mateus: – Huuuum?
Catirina: – Cê tá acordado, ômi?
Mateus: – Deixa eu dormir, muié!
Catirina: – Tô com vontade de comer coração de boi. Do melhor boi da fazenda.
Mateus: – Amanhã ocê come. (assustado) Do boi Estrela? Cê tá loca, muié,? O coroné mi mata!
Catirina: – Ocê qué qui seu fiu nasce com cara de boi.
Mateus: – Pensando bem, até qui aquele boi do patrão é bem apanhado.
Catirina: – Pois acho bom ocê ir logo, porque senão, vão dizer por aí que seu fiu é fiu di boi. Cê vai gostá disso, ômi?
Mateus: – Minha Nossa Senhora de Nazaré! Meu Jesuscristin! Meu Padincíçu!
(*Mateus sai com um facão.*)
Mateus: – Como é que eu vou matar o boi preferido do patrão? Ele vai me mandar embora.

CENA 4

Na roça. (Seu Pedro e Mateus roçando o campo.)

Seu Pedro: – Mateus, o patrão tá querendo falar com você.
Mateus: – O senhor sabe sobre que assunto que ele quer falar comigo?

Seu Pedro: – Acho que é sobre um boi que ele tá dando falta.
Mateus: – Ih, é agora que "a vaca vai pro brejo".
Seu Pedro: – Parece que né vaca não. É boi memo.
Mateus: – É vaca, é boi, é pepino. Vai tudo pro brejo. Inté eu.
Seu Pedro: – Que ocê vai fazer no brejo, Mateus?
Mateus: – Eu vou me "lascar".
Seu Pedro: – O que é isso, ômi?
Mateus: – Seu Pedro, o senhor tem que me ajudar. A Catirina tava com desejo e...
Seu Pedro: – Ih, já entendi tudo. Você matou o boi do coroné Januário pra dar o coração...
Mateus: – Ai, num lembra!
Seu Pedro: – Só tem um jeito. Vamos chamar a vó Lurdes pra rezar o boi.
Mateus: – Isso, seu Pedro, sabia que o senhor ia me ajudar.

CENA 5

Mateus, seu Pedro e vó Lurdes em volta do boi Estrela.

Mateus: – A coisa tá feia memo pru meu lado.
Seu Pedro: – Carma, ômi, que tudo si arresorve.
Vó Lurdes: – É, o bicho tá mortin, mortin.
Mateus: – Isso nós já sabe. Ai, meu Jesuscristin!
Seu Pedro: – Uma reza forte num arresorve, Vó Lurdes?
Vó Lurdes: – Isso eu num posso agarantir.
Mateus: – Tem dó de mim, vó Lurdes. Eu faço qualquer coisa.
Vó Lurdes: – Pra começar, vamos comprar sete velas, uma garrafa de marafo, um prato com farofa e uma galinha preta.
Seu Pedro: – E se isso não funcionar?
Vó Lurdes: – Aí nós chama o padre.
Mateus: – Nem pensar! O padre é *assim* com o coroné.
Vó Lurdes: – Ocê qui sabe.
Mateus: – Mardita hora que a Catirina quis comer boi.
Seu Pedro: – Você preferia que seu fiu nasce com cara de boi, ômi?
Vó Lurdes: – É memo. U qui us outro vão falá?
Seu Pedro: – Qui seu fiu é fiu du boi.
Mateus: – Isso nunca! Tô num "mato sem cachorro".
Vó Lurdes: – Sem cachorro e com boi morto.
Mateus: – Num precisa ficar lembrando. Ai, Nossa Senhora dos pobre!
Seu Pedro: – Num esquece que o patrão quer falar co`ocê.
Mateus: – Ele vai perguntar do boi. O que eu vou dizer pra ele?
Vó Lurdes: – Diz que ocê matou o boi dele. Mas que matou só um pouquim.
Mateus: – Vó Lurdes, acho que ocê tá querendo é que o coroné Januário coma meu coração.
Seu Pedro: – Vó Lurdes, assim a senhora acaba matando o Mateus de susto.
Vó Lurdes: – Tudo bem, eu só tava brincando pra ele relaxar um cadim. Só farta uma coisa: ocê vai no mato e procura um coração de índio bem do tamanho do coração do boi. E traz aqui.

Mateus: (*assustadíssimo*) – Isso eu num faço "nem que a vaca tussa". Eu num mato mais ninguém. Imagina, matar um índio.
Seu Pedro: – Carma, ômi. Coração-de-índio é graviola. É assim que as pessoas chamam a graviola por aqui.
Mateus: – Ah, bom!
Seu Pedro: – Vamos fazer assim: eu vô dizer pro coroné que ocê foi levar o Estrela para pastar no morro. E ocê vai fazer as coisa que Vó Lurdes mandou.

CENA 6

Mateus, seu Pedro e vó Lurdes em volta do boi Estrela com a oferenda.
Vó Lurdes: – Trouxe as vela?
Mateus: – Trouxe.
Vó Lurdes: – Acendeu?
Mateus: – Acendi.
Vó Lurdes: – Fez a farofa?
Mateus: – Fiz.
Vó Lurdes: – Experimentou?
Mateus: (*assustado*) – Tinha que experimentar?
Vó Lurdes: – Não. Só tava brincando. Derramou o marafo?
Mateus: – Derramei.
Vó Lurdes: – E o coração-de-índio?
Mateus: – Tá aqui.
Seu Pedro: – Vai pôr a graviola no lugar do coração?
Vó Lurdes: – Seu Pedro num é burro não.
Mateus: – E a galinha?
Vó Lurdes: – Trouxe?
Mateus: – Trouxe.
Vó Lurdes: – A galinha é pra mim. Quem trabaia de graça é relógio. Agora vamos pôr o coração-de-índio no lugar.
Seu Pedro: – A graviola estava bem madurinha.
Mateus: – Olha, o boi tá abrindo o olho.
Vó Lurdes: – Num falei.
Seu Pedro: – Graças a Deus!
Mateus: – Isso merece uma comemoração.
Seu Pedro: – E das grande. Com música, bebida e comida.
Vó Lurdes: – Que tar um churrasquinho de boi Estrela com marafo?
Mateus: – A senhora quer me matar do coração?
Seu Pedro: – Se ocê morrer do coração, nós coloca uma graviola no lugar e fica tudo certo.
(*Entra o coronel Januário*.)
Coronel: – Ah, aqui estão vocês. Há dois dias que eu tô procurando você e o boi.
Mateus: – Às suas ordens, coroné.
Coronel: – Leve o boi para o abate. Vamos fazer uma grande festa para comemorar o casamento de minha filha e quero fazer o melhor churrasco da cidade.

17. Responda.

1. Onde vivem Mateus e Catirina? Como você imagina que seja a casa deles?
   Resposta: ____

2. Por que Catirina quer comer o coração do boi? Pergunte para mulheres que já tiveram filho se elas também tiveram vontade de comer coisas estranhas. Depois, conte para seus colegas o que você apurou sobre o assunto.
   Resposta: ____

3. Você já se sentiu em "um mato sem cachorro"? Você gostaria de dizer como foi?
   Resposta: ____

4. O que você faria no lugar de Mateus? Você também mataria o boi?
   Resposta: ____

18. Estudo de expressões.

No quadro abaixo encontram-se alguns vocábulos, tentando reproduzir um sotaque mais do interior. Vamos reescrever essas palavras em suas formas mais usuais?

ocê		ômi	
coroné		pouquim	
arresorve		mortim	
trabaia		muié	
nós coloca		que tar	
to		agarantir	
jesuscristin		inté	
mardita		fiu	
abroba		bão	

19. **O que as expressões empregadas no texto significam?**

Consulte as expressões dentro de seu contexto.

EXPRESSÕES	SIGNIFICADOS
1. Esperar neném	( ) Cadinho, pouquinho
2. Cara de (jerimum)	( ) A situação vai ficar incontrolável
3. Abroba	( ) Ser gentil, carinhoso.
4. Lascado	( ) Abóbora.
5. Falar direito	( ) Com problemas.
6. Ser bem apanhado	( ) Parecer-se a (uma abóbora).
7. A vaca vai pro brejo	( ) Ser bonito.
8. Marafo	( ) Estar numa situação sem solução.
9. Estar em mato sem cachorro	( ) De jeito nenhum, nunca, jamais.
10. Cadim	( ) Estar grávida, esperar um filho.
11. Nem que a vaca tussa	( ) Aguardente, cachaça

20. **Conte uma história de seu país. (Em grupo)**

21. **Responda às questões e depois leia para seus colegas.**

O QUE VOCÊ FARIA...?

Que tipo de negócio você abriria? Por quê?
Que país você gostaria de conhecer? Por quê?
Que instrumento você tocaria?
De que animal você cuidaria?
Em que cidade você moraria?

TEM SACI NO FACE – ENCENAÇÃO

NETOS DE FÉRIAS

Vó Zira: – Você já foi pegar o leite?
Vô Cláudio: – Claro que fui. E já botei comida pras cabras e pras galinhas.
Vó Zira: – E os meninos gostaram dos bichos?
Vô Cláudio: – Os meninos nem levantaram ainda. A Sofia não larga do celular. E o Ricardinho ficou jogando até tarde.
Vó Zira: – Esses meninos nem conversam mais com a gente. Eu acho que eles não gostam mais de vir para a fazenda.
Vô Cláudio: – O pior é que os pais deles também só se comunicam via celular. Deixaram os filhos aqui, e no tempinho que ficaram, os dois também não largaram do aparelhinho.

Vó Zira: – Bom, já fiz a lista de compras. Você já está pronto?
Vô Cláudio: – Já, podemos ir. Tem almoço para as crianças?
Vó Zira: – Tem, e pedi para a Carminha fazer um bolo pra elas, que a gente vai voltar tarde.

NA COZINHA
Carminha: – Oh, menino, já almocei faz tempo e vocês nem tomaram o café da manhã?
Ricardinho: – Carminha, você viu o meu Iped?
Carminha: – Pé de quê?
Ricardinho: – **Iped**. Aquele aparelhinho de jogo.
Carminha: – Ah, aquele aparelim que ocê num larga dele?
Ricardinho: – É!
Carminha: – Ah, aquele aparelim que ocê fica apertano uns butãozim?
Ricardinho: – É! É!
Carminha: – Aquele aparelim que parece televisão de anãozim?
Ricardinho: – É, esse mesmo!
Carminha: – Esse aparelim num vi não.
Ricardinho: – Ah, como você é chata!
Sofia: – Puxa, tô com uma fome de leão!
Ricardinho: – De leoa!
Sofia: – Carminha, não tô encontrando meu celular. Foi você que escondeu de novo, né, João Ricardo?
Ricardinho: – Ah, aquele aparelim que ocê num larga dele?
Sofia: – É, esse mesmo. Onde você escondeu?
Ricardinho: – É um aparelim que ocê fica apertano uns butãozim?
Sofia: – Deixa de história! Onde você botou meu iPed?
Ricardinho: – Ah, seu “pé de quê” eu num vi não. Aliás, o meu também sumiu.
Sofia: – Isso parece coisa do Vô Cláudio. Ele vive reclamando que a gente não larga do celular.
Carminha: – O senhor seu Cláudio num faria uma coisas dessas não; isso é coisa do Saci. Ele é que tem a mania de esconder as coisas da gente. Outro dia ele roubou o fumo do seu avô. Ele bem que ficou desconfiado de mim.
Sofia: – Só você pra acreditar nessas coisas. O pior é que eu tinha feito uns selfis superlegais para postar no face.
Ricardinho: – O pior mesmo é que não tem nada pra gente fazer nesse fim de mundo. E o céu tá negro, negro; vai cair um toró.
Carminha: – E nem era bom vocês saírem por aí sozinhos. Essa época é a época das cobras. E ainda por cima, depois que botaram fogo na mata de cima, tem até lobo e onça chegando perto das casas pra procurar comida.
Sofia: – Ih, Carminha, você tá me deixando com medo.
Ricardinho: – Caramba, que estrondo! Está trovejando, relampejando e chovendo muito. Já anoiteceu?
Carminha: – Já acabaram de comer? Então é melhor vocês ficarem quietinhos lá na sala inté o vô de ocês chegarem. Quando o bolo tiver pronto, eu chamo vocês.

NA SALA

Sofia: – Queria ligar pra vizinha, dona Almerinda, mas o telefone está sem linha.
Ricardinho: – Escutei a porteira ranger. Será que é o tal do Saci entrando no sítio?
Sofia: – O vovô não pode ser, porque ele está de camionete.
Ricardinho: – Caramba, alguém abriu a janela!
Sofia: – Quem tá aí? Carminha! Carminha!

NA COZINHA

Ricardinho: – Vamos até a cozinha pedir uma vela para a Carminha. Carminha! Carminha!
Sofia: – Psiu, a Carminha não está na cozinha. Vamos pegar os burricos e tentar chegar ao sítio da dona Almerinda.

NA COCHEIRA

Ricardinho: – Alguém soltou os burricos. Vamos a pé pra dona Almerinda?
Lobos: – Uuuuuuuuuuuuuuuuuuuuuu!
Sofia: – São lobos. É melhor a gente voltar pra casa.
Ricardinho: – Socorro! Socorro!

NA SALA

Sofia: – Tranca as portas e as janelas! Ai, que barulho é esse na cozinha? Derrubaram as panelas. Pega aquele porrete do Vovô. Vamos ver quem está lá na cozinha.
Ricardinho: – Tudo bem, mas você vai na frente.
Sofia: – Tá bem, valentão. Eu vou na frente.

NA COZINHA

Ricardinho: – O barulho vem do armário. Será que o Saci tá lá dentro?
Sofia: – Silêncio! Abre a porta do armário, que eu vou dar uma porretada nesse tal de Saci.
Ricardinho: – Psiu, tô abrindo devagarinho. Aaaaah! Que bicho feio é esse dentro do armário?! Uma cara branca com uma toca vermelha. É o Saci.
Sofia: – Pou! Peguei o Saci. Bota a vela perto da cara dele pra gente ver.
Ricardinho: – Carácoles, é a Carminha com a cara cheia de farinha. Acho que você matou ela.
Carminha: – Cruz credo! Ai, minha cabeça. Você quase que me mata com essa porretada.
Sofia: – Desculpa, Carminha. Eu pensei que você fosse o Saci.
Carminha: – Valei-me, Nossa Senhora de Aparecida. Bem que eu disse que isso tudo era coisa do Saci. Ouve a porteira de novo. É ele dando no pé.
Ricardinho: – Olha, a luz voltou!
Sofia: – O barulho da camionete do Vô Cláudio!
Carminha: – Graças a Deus, seu Cláudio voltou!

TODOS NA COZINHA

Vó Zira: – Que bagunça é essa na minha cozinha?

Vô Cláudio: – Quem amarrou os burricos lá perto da porteira?

Vó Zira: – E quem deixou esses aparelhinhos chatos na camionete que não pararam de tocar?

Ricardinho: – Que legal, nossos ipeds!

Vô Cláudio: – Carminha, você andou pegando meu fumo de novo, que eu não encontro.

Carminha: – Cruz credo, seu Cláudio. Eu num fumo não. Isso é coisa do Saci.

Vô Cláudio: – Ah, então foi o Saci que escondeu os aparelhos das crianças, que amarrou os burricos do lado de fora da porteira, que espalhou farinha pela cozinha toda e que, ainda por cima, desapareceu com todo o meu fumo?

Vó Zira: – Humm! Também foi o Saci que fez esse bolo de milho delicioso?

Carminha: – O bolo fui eu que fiz. Mas eu num tenho nada que ver com o sumiço das coisas não.

Ricardinho: – Eu não acredito nessa história de Saci também não. Mas olha as pegadas no chão sujo de farinha. É de alguém de uma perna só.

Sofia: – Ih, apareceu uma mensagem estranha no meu iPed:

"Sou da cor do ébano, escondo coisas e dou nó
Ando pra lá e pra cá, com uma perna só
Curioso e brincalhão, imito lobo e curió
Inda roubo fumo, espalho palha e sopro pó."

22. Responda.

1. Onde vivem os avós de Sofia e Ricardinho? Que pistas o/a ajudaram a chegar a essa conclusão?
Resposta: ____
____
____
____

2. Quando se passa a história, há muito tempo ou na atualidade? Que pistas o/a ajudaram a chegar a essa conclusão?
Resposta: ____
____
____
____

3. O que os avós pensam sobre as pessoas mais jovens?
Resposta: ____
____
____
____

4. Você acha que os avós têm razão? Por quê?

Resposta: ____

____

____

____

5. As pessoas que vivem na roça (no campo) têm medo de seres fantásticos, como o Saci. E as pessoas que vivem na cidade, têm medo de quê?

Resposta: ____

____

____

____

23. Estripulias do Saci. Quais foram as estripulias atribuídas ao Saci?

a. O Saci roubou o fumo do vô Cláudio.
b.
c.
d.
e.

TRAVA-LÍNGUAS

– Pedro tem o peito preto. O peito de Pedro é preto. Quem disser que o peito de Pedro é preto, tem o peito mais preto que o peito de Pedro.

– A vaca malhada foi molhada por outra vaca molhada e malhada.

– Um ninho de mafagafos, com cinco mafagafinhos, quem desmafagafizar os mafagafos, bom desmafagafizador será.

– Olha o sapo dentro do saco. O saco com o sapo dentro. O sapo batendo papo. E o papo soltando vento.

– O rato roeu a roupa do rei de Roma.

– Três pratos de trigo para três tigres tristes.

– Atrás da pia tem um prato, um pinto e um gato. Pinga a pia, para o prato, pia o pinto e mia o gato.

– A vida é uma sucessiva sucessão de sucessões que se sucedem sucessivamente, sem suceder o sucesso...

– "O tempo perguntou ao tempo, quanto tempo o tempo tem, o tempo respondeu ao tempo, que não tinha tempo, de ver quanto tempo, o tempo tem."

24. Trava-línguas.

Escolha um dos trava-línguas para aprender e recitar para seus colegas. (Em grupo)

DESCRIÇÕES DE ALGUMAS PERSONAGENS DO FOLCLORE BRASILEIRO

PERSONAGENS DO FOLCLORE:	
Saci-pererê Aparência:	O Saci-Pererê é representado por um menino negro que tem apenas uma perna. Sempre com seu cachimbo e com um gorro vermelho que lhe dá poderes mágicos.
Saci-pererê Informações gerais:	Vive aprontando travessuras e se diverte muito com isso. Adora espantar cavalos, queimar comida e acordar pessoas com gargalhadas.
Curupira Aparência:	Assim como o boitatá, o curupira também é um protetor das matas e dos animais silvestres. Representado por um anão de cabelos compridos e com os pés virados para trás.
Curupira Informações gerais:	Persegue e mata todos que desrespeitam a natureza. Quando alguém desaparece nas matas, muitos habitantes do interior acreditam que é obra do curupira.
Boto Aparência:	Ele é representado por um homem jovem, bonito e charmoso que encanta mulheres em bailes e festas.
Boto Informações gerais:	Acredita-se que a lenda do boto tenha surgido na região amazônica. Após a conquista, leva as jovens para a beira de um rio e as engravida. Antes de a madrugada chegar, ele mergulha nas águas do rio para transformar-se em um boto.
Mula-sem-cabeça Aparência:	A mula-sem-cabeça é, como o nome diz, uma mula que tem fogo no lugar de sua cabeça.
Mula-sem-cabeça Informações gerais:	Surgido na região interior, conta que uma mulher teve um romance com um padre. Como castigo, em todas as noites de quinta para sexta-feira, é transformada num animal quadrúpede que galopa e salta sem parar, enquanto solta fogo pelas narinas.

25. Histórias do folclore brasileiro.

Consulte o site *Suapesquisa.com* sobre o folclore brasileiro e, com base em uma das personagens, crie uma história. (Em dupla)

26. Adivinhas.

Relacione as colunas corretamente.

1. O que é que é surdo e mudo, mas conta tudo?	( ) A pedra de gelo
2. O que é o que é que dá muitas voltas e não sai do lugar?	( ) A letra U
3. O que é o que é que sobe quando a chuva desce?	( ) Deixa de ser quadrado
4. Qual a única pedra que fica em cima da água?	( ) O céu da boca
5. O que a esfera disse para o cubo?	( ) A cadeira
6. O que é o que é que está sempre no meio da rua e de pernas para o ar?	( ) Arara
7. O que é o que é que anda com os pés na cabeça?	( ) O livro
8. O que é, o que é? Cai em pé e corre deitado?	( ) O piolho
9. O que é? O que é? Tem pernas, mas não anda. Tem braço, mas não abraça?	( ) A chuva
10. É um pássaro brasileiro e seu nome de trás para frente é igual?	( ) O relógio
11. Qual é o céu que não possui estrelas?	( ) O guarda-chuva

A LEBRE, O SAPO E A TARTARUGA – ENCENAÇÃO

Hoje é um dia muito importante na floresta.
Há uma importante e famosa competição de corrida entre a lebre e a tartaruga.

PERSONAGENS:
Elefante: O juiz da competição
Lebre: Participante
Tartaruga: Participante da corrida
Sapo: Intrometido
Lesma: Plateia
Burro: Plateia

Elefante: – Muito bem, todos em seus lugares!
Lebre: – Aqui estou!
Elefante: – Cadê a tartaruga?
Lebre: – Vai ser moleza.
Elefante: – A tartaruga é uma lesma.
Tartaruga: – Olha o *bullying*!
Lesma: – Coé? Tem alguma coisa contra nós?
Sapo: – Qual vai ser o prêmio, Sr. Elefante?
Elefante: – Pra você, nenhum. Sapos não participam.
Sapo: – Isso é discriminação. Festa no céu, tudo bem. Eu não tenho asa; não posso participar. Mas floresta é minha praia.
Elefante: – Cai fora, sapo. Você não estuda? Não lê? Não conhece a fábula da lebre e da tartaruga? Não tem sapos lá.
Tartaruga: – Deixa de bancar o "senhor todo certinho"! Na floresta do Brasil também não tem elefante e você tá na história.

Elefante: – Tá legal, mas não vai me atrapalhar a moral da fábula. No final, a tartaruga ganha.
Sapo: – Tá vendo? É tudo "marmelada". Já está tudo planejado.
Lebre: – O sapo tem razão. Eu sou super-rápido, e há anos que eu sempre me dou mal nessa prova.
Elefante: – Mas... E a moral?
Tartaruga: – O elefante tá certo. E a moral?
Lebre: – A gente tem que mudar essa moral. Eu vou ter que perder sempre?
Sapo: – É que o juiz é "comprado". A tartaruga vai dividir o prêmio com o elefante.
Tartaruga: – Uma "pinoia"! Agora você tá me ofendendo.
Elefante: – Vamos parar com essa briga, senão, não haverá competição.
Lebre: – Tá legal. Mas quem ganhar ganhou.
Tartaruga: – E a moral?
Sapo: – A moral, a gente inventa outra.
Elefante: – E você acha que é fácil assim? Achar moral no Brasil tá difícil. Veja o Congresso! Veja o Senado! Só tem...
Lebre: – Vamos parar de falar de política. Afinal de contas, isso é uma fábula.
Elefante: – Tá legal, bicharada, vamos começar a prova. Mas tô avisando que, se a tartaruga não ganhar, "o bicho vai pegar".
Sapo: – Dá logo o tiro!
Elefante: – Que tiro?
Sapo: – Mas como você é burro! O tiro pra começar a corrida.
Burro: – Eu ouvi isso, hein, sapo. Olha o *bullying*!
Sapo: – Foi mal, seu jumento.
Elefante: – Pou!

Os animais iniciam a corrida. O sapo e a lebre vão mais à frente. A tartaruga, claro, vem bem devagar lá atrás.
Sapo: – E aí, lebre, vamos comer uns mosquitos lá no brejo? Você vai ganhar fácil daquela "lesma". E o segundo lugar tá de bom tamanho para mim.
Lebre: – Tudo bem. Só que eu não como mosquito, esqueceu?
Sapo: – "Coé"? A gente arruma umas cenouras lá.

NO BREJO...

Lebre: – Puxa, quanta cenoura! Não sabia que tinha tanta cenoura no brejo.

Sapo: Não esquenta. O escritor dessa fábula é meio maluco. Vamos aproveitar. Tá cheio de mosquito.

Lebre: – Nossa, comi demais! Vou tirar um cochilo.

Sapo: – Pô, eu também.

Tartaruga: – "Devagar se chega ao longe." Lá estão os dois, bêbedos de sono. Da última vez, levei duas horas e meia para terminar a minha prova. Quero melhorar a minha marca.

Sapo: – O quê? Um violão no meio do brejo? Acho que vou entrar e tirar uma soneca lá dentro.

Urubu: – Puxa, meu violão tá tão pesado! Vou chegar acabado na festa do céu.

Sapo: – Glup! Festa no céu? Acho que entrei em outra história. Agora é melhor relaxar e aproveitar a festa, porque no fim dessa história eu já sei que o urubu vai me jogar na pedra e eu vou me arrebentar todo.

Lebre (*Acordando*): – Ué, cadê o sapo? Será que a tartaruga já ganhou a corrida?

Elefante: – Ah, já estou vendo a tartaruga dobrando a esquina. Graças a Deus! Não vamos precisar inventar outra moral.

Tartaruga: – Ih, a lebre acordou. Mas não vou desistir de ser mais rápida.

Lebre: – E aí, tartaruga. Vai inventando uma nova moral para essa história.

Tartaruga: – Eu já inventei: "O importante não é vencer os outros, mas vencer a si mesmo; ser uma pessoa melhor, quer dizer, um bicho melhor."

Lebre: – Pô, mandou bem, tartaruga. Mas a moral não tinha que ser no final da fábula?

Tartaruga: – Era. Mas essa fábula já toda bagunçada mesmo!

Elefante: – Ganhou a lebre.

Lebre: – Quero meu prêmio.

Elefante: – O problema não é o prêmio; o problema é a moral. Aqui está seu prêmio.

Lebre: – O quê? Uma caixa de cenoura? Eu não aguento nem ver cenoura.

Tartaruga: – E o meu prêmio?

Elefante: – Pô, tartaruga, só tem mosquito. Eu podia jurar que o sapo ia chegar em segundo.

Tartaruga: – Não rola um alface?

Burro: – Uma alface.

Tartaruga: – O quê, seu burro?

Burro: – Burra é você. Não é o alface, é a alface, feminino.

Lebre: – E onde foi parar o sapo?

Tartaruga: – Acho que ele entrou em outra história.

Elefante: – E agora, qual vai ser a moral dessa história?

Sapo (*Todo quebrado*): – "Não se pode mudar a natureza de ninguém."

Tartaruga: – Não entendi.

Burro: – Não falei que você é burra? Ele quer dizer que a lebre ganhou a corrida porque, por natureza, ela é mais rápida que a tartaruga e o sapo.

Sapo: – Não é nada disso! E você é burro mesmo. Eu quero dizer que os sapos, por natureza, não têm asas e por isso não devem ir a festas no céu.

MORAL: "Cada um faz a moral a partir de seu ponto de vista."

27. Responda.

Conversa com os participantes

1. Quem são as personagens principais da história?
2. Quais são as características principais desse tipo de história?
3. Quem conhece outra versão dessa história? Como ela é?
4. Quais são as diferenças entre a versão que você conhece e a que acabou de ler?
5. Nas fábulas, os animais representam pessoas. Você conhece pessoas que já passaram por situações semelhantes a essa ou a outras fábulas que você conhece? Conte como foi.

28. Estudo de expressões. O que as expressões empregadas no texto significam? Consulte as expressões dentro de seu contexto.

EXPRESSÕES	SIGNIFICADOS
1. Moleza	( ) Vagaroso, lento.
2. Lesma	( ) Fazer ou dizer a coisa certa.
3. Praia	( ) Vai haver problema, a coisa vai ficar feia.
4. Marmelada	( ) Não se preocupar.
5. Comprado	( ) Fácil.
6. O bicho vai pegar	( ) Corrupto.
7. Burro	( ) Especialidade, negócio.
8. Não esquentar	( ) Enganação.
9. Tirar uma soneca	( ) Imbecil, idiota.
10. Mandar bem	( ) Dormir um pouquinho.

29. Substitua as expressões destacadas por outras, usadas no texto.

a. A lebre disse que iria ser fácil resolver a situação.

____

b. O elefante disse que a tartaruga era lenta demais.

____

c. O sapo disse que corrida na floresta era sua especialidade.

____

d. O sapo disse que a corrida era uma enganação, que o juiz era corrupto.

____

e. O elefante disse que se a tartaruga não ganhasse, iria ter muito problema.

____

f. Mas o sapo nem se preocupou com isso.

____

RECRIANDO FÁBULA. O cão e o lobo.

30. **Observe o exemplo e complete o quadro com uma fábula de sua preferência. (Em dupla)**

Título/autor	**O cão e o lobo/Esopo.**	**(Outras fábulas)**	**(Outras fábulas)**
Quem? As personagens	O cão e o lobo.		
Onde?	Na floresta.		
Quando?	Não importa.		
O quê? Que fato inicia a história?	O cão convida o lobo para viver no conforto da fazenda.		
Como reagem? As personagens	Primeiro, o lobo aceita. Depois, recusa, pois percebe a falta de liberdade por causa da coleira do cachorro.		
Como acaba? História	O lobo volta para a floresta.		
O que se aprende? Moral	A liberdade é mais importante que o conforto.		

31. **Conte a história de "O cão e o lobo" usando os elementos do quadro. Depois, escreva a fábula que a dupla escolheu e leia para os colegas.**

______________________________ (Título)

32. **Observe as frases a seguir (provérbios e morais de fábulas) e invente uma história que combine. (Em dupla)**

a. Os preguiçosos colhem o que merecem.
b. Em terra de cego quem tem um olho é rei.
c. Quem ama o feio bonito lhe parece.
d. Devagar se vai ao longe.
e. Antes tarde do que nunca.
f. Mais vale um pássaro na mão que dois voando.
g. Outros

O AFOITO CURUMIM – O HERÓI MIRIM

Há muitos anos, antes de o Brasil ser chamado de Brasil, vivia numa tribo Krahô um curumim esperto, curioso e afoito de nome Kaluh. Sua tribo ficava muito perto da foz do rio Amazonas. Assim, as índias podiam lavar roupa e levar água para beber e cozinhar; os índios adoravam banhar-se e pescar no rio; mesmo os curumins inventavam inúmeras brincadeiras e ficavam até tarde em suas águas.

Mas nem tudo era só paz e tranquilidade, pois muitas tribos viviam em constante combate, ou para matar inimigos e ficar com seus poderes, ou para tomar suas terras mais perto do rio. Por causa das constantes invasões à terra dos Krahôs, havia uma grande movimentação de guerreiros da tribo.

Os curumins viam os índios pintados e armados para a defesa de seu território. E kaluh, de apenas nove anos, já se pintava como um guerreiro e acompanhava os mais velhos quando saíam para seus exercícios de guerra. Gostava de imitar seu movimento e sua fala.

Seu sonho era ser um guerreiro como seu pai, mas seu avô lhe contara que todos os índios, para tornarem-se guerreiros, precisavam passar por uma prova de coragem, mas só depois que completassem quatorze anos.

Todos sabiam que nessa prova o índio seria pintado pelas virgens, receberia as rezas do pajé, teria seus olhos vendados pelo cacique e seria levado por seu pai até a parte mais escura da floresta. Teria que passar a noite sozinho no meio da mata, fazer uma arma para defender-se e voltar com uma caça para a tribo. Os índios que não conseguiam passar por essa prova, normalmente, morriam na floresta, e eram festejados em sua tribo por terem dado sua vida pelos seus.

Ao pôr do sol de uma bela tarde, na pressa de tornar-se um guerreiro, Kaluh pediu a Naja, uma indiazinha por quem já era apaixonado, para fazer-lhe uma pintura de guerreiro com urucum. Depois, foi até seus amigos e pediu-lhes que rezassem por ele, que lhe vendassem os olhos e o guiassem até o caminho da sumaúma, a árvore da grande sombra.

Kaluh embrenhou-se na mata. Sem nada ver, foi caminhando em direção ao coração da noite entre galhos e espinhos. Ouvia a floresta do fim da tarde e a acomodação dos pássaros que davam lugar às criaturas da escuridão.

Na verdade, tropeçou e caiu várias vezes, e seu corpo de menino já estava bem arranhado pelas garras do espírito da floresta. Depois de horas e horas, sentiu que tinha chegado à arvore mais alta e frondosa da região, e seu coraçãozinho batia mais forte que o tambor de sua tribo.

Tirou a venda. Sentiu medo. Sentiu medo do que não via.

Com pena do menino, Tupã, que a tudo assistia, iluminou a Lua, assim Kaluh pôde iniciar a confecção de seu arco. Isso o distraiu e deu-lhe coragem. Com galhos e cipós, fez o arco quase de seu tamanho. Depois preparou suas flechas, apontando-as em uma pedra.

Muitos animais noturnos movimentavam-se à sua volta em busca de alimentos, mas um som entre as folhagens o fez estremecer: era a onça pintada. Sentia sua presença. Muitos em sua aldeia diziam que ela não atacava seres humanos, porém outros diziam que quando estavam famintas ou quando queriam alimentar seus filhotes, tornavam-se perigosíssimas.

Kaluh colocou, trêmulo, uma flecha no arco. Desejou que seu pai aparecesse para socorrê-lo, mas sabia que era tarde. Talvez fosse festejado em sua tribo por ter dado sua vida por seu povo. O animal tornou-se silencioso. Isso podia significar que tinha sentido seu cheiro, ouvido sua respiração e que caminhava sorrateiramente para preparar o seu bote mortífero. Sentiu a urina escorrer-lhe pelas pernas. Lutava contra a onça e o medo. Como num sonho veloz, o sorriso de Naja, o beijo de sua mãe e o colo dos braços fortes de seu pai atravessaram-lhe o pensamento.

A onça surgiu feroz à sua frente. Enorme, ruidosa. Sua flecha voou para o alto, sem rumo. O bote foi certeiro, e a fera ainda chegou a tocar-lhe o corpo, mas logo afastou-se apressada com um animal preso em suas poderosas mandíbulas. Era um roedor grande, talvez uma capivara. Foi tudo muito rápido.

Apavorado com o ataque, escalou com desconhecida rapidez a sumaúma. Bem de cima, acompanhou a corrida do animal em direção à sua toca. Foi quando ouviu vozes que pareciam assustadas com o enorme felino que passava em disparada. Não entendeu as palavras, mas sabia que eram invasores de suas terras, e pareciam ser da tribo Kayabi, que tinham por hábito cortar a cabeça de seus inimigos.

Ainda do alto da sumaúma, pôde ver os guerreiros de sua tribo que se aproximavam pelo outro lado da floresta, seguramente, à sua procura. Distraído, não percebeu que uma enorme surucucu estava num galho que tentava galgar. Sentiu o choque e ficou paralisado: fora picado. A dor era intensa, mas tinha que resistir.

De tanto acompanhar os exercícios dos guerreiros, havia aprendido não só a imitar o som dos animais como também a dar avisos secretos na mata. Assim, com os gritos e assobios, alertou sua tribo sobre os invasores. De cima da árvore da noite, Kaluh assistiu à brava luta de sua tribo, liderada por seu pai, contra os inimigos.

Ao amanhecer, o curumim, com febre, foi levado no colo de seu pai para a aldeia. O curandeiro preparou-lhe unguentos e chás para tratar de seu grave ferimento. Do lado de fora da oca, Naja, o pai e a mãe de Kaluh estavam tristes e preocupados com a saúde do pequeno herói.

33. Responda.

Conversa com os participantes.

1. Onde a história se passa? Descreva o local.
2. Como são as personagens da história?
3. Há uma diferença nas tarefas dos homens e das mulheres? Comente.
4. Por que os índios da tribo de Kaluh viviam preparando-se para um confronto?
5. Para tornarem-se guerreiros, os índios precisavam passar a noite na floresta. O que você imagina que acontecia com os índios que não voltavam?

34. Palavras cruzadas.

	1	2	3	4			5	6
1								
2								
3								
4								
5								
6								

HORIZONTAIS:

1. Menino
2. Deus
3. Buraco, refúgio
4. Grupo indígena
5. Árvore gigantesca da Amazônia
6. Ofídio brasileiro, cobra

VERTICAIS:

1. Salto do animal sobre a presa
2. Felídeo feroz
3. Fruto do urucuzeiro
4. Curandeiro
5. Floresta
6. Haste para atirar flechas

35. Programa legal (resenha). Crie um texto conforme as recomendações abaixo, contando sobre seu programa de fim de semana. Pode ser sobre um filme, um livro ou mesmo sobre um passeio que você fez. (Em grupo)

______________________________ (Título)
Resumo da história (O livro é sobre...)
Aspectos negativos (O autor escreve de uma maneira muito formal e...)
Aspectos positivos (A história contém muitas aventuras e muito suspense...)
Conclusão (Por isso eu recomendo esse livro/filme para pessoas que...)

JOGO DA VELHA

36. Versão com animais.

Neste jogo, o primeiro participante deve dizer o nome de um animal da fauna brasileira e marcar um "X" em uma parte do desenho. O segundo participante deve dizer o nome de outro animal e marcar um "O". Ambos os jogadores devem tentar completar uma linha reta (com três marcas) ou na vertical, na horizontal ou na diagonal. (Em dupla)

EXEMPLO DE ANIMAIS: capivara, jacaré, tucano...

37. Versão com plurais irregulares.

O primeiro participante deve dizer uma palavra no singular. O outro deve escrever a forma certa no plural e iniciar sua marcação; depois, diz outra palavra para que seu adversário diga o plural correspondente e faça sua marcação. Ambos os jogadores devem tentar completar uma linha reta (com três marcas) ou na vertical, na horizontal ou diagonal.

EXEMPLO DE PLURAIS IRREGULARES: jornal, animal, pastel, irmão, alemão, cidadão...

Pretérito Perfeito irregular – formação			
	QUERER	**DIZER**	**TRAZER**
Eu	QUIS	DISSE	TROUXE
Você Ele Ela	QUIS	DISSE	TROUXE
Nós	QUISEMOS	DISSEMOS	TROUXEMOS
Vocês Eles Elas	QUISERAM	DISSERAM	TROUXERAM

	SABER	**HAVER***	**CABER**
Eu	SOUBE	(HOUVE)	COUBE
Você Ele Ela	SOUBE	HOUVE	COUBE
Nós	SOUBEMOS	(HOUVEMOS)	COUBEMOS
Vocês Eles Elas	SOUBERAM	(HOUVERAM)	COUBERAM

	FAZER	ESTAR	TER
Eu	FIZ	ESTIVE	TIVE
Você Ele Ela	FEZ	ESTEVE	TEVE
Nós	FIZEMOS	ESTIVEMOS	TIVEMOS
Vocês Eles Elas	FIZERAM	ESTIVERAM	TIVERAM

	PODER	PÔR
Eu	PUDE	PUS
Você Ele Ela	PÔDE	PÔS
Nós	PUDEMOS	PUSEMOS
Vocês Eles Elas	PUDERAM	PUSERAM

	VER	DAR	VIR	IR
Eu	VI	DEI	VIM	FUI
Você Ele Ela	VIU	DEU	VEIO	FOI
Nós	VIMOS	DEMOS	VIEMOS	FOMOS
Vocês Eles Elas	VIRAM	DERAM	VIERAM	FORAM

38. Versão verbos irregulares.

O primeiro participante deve pedir, por exemplo, “verbo dizer, primeira pessoa do plural, pretérito perfeito”. O outro deve escrever a forma certa “dissemos” e iniciar sua marcação; depois, pede outro verbo para que seu adversário conjugue e faça sua marcação. Ambos os jogadores devem tentar completar uma linha reta (com três marcas) ou na vertical, na horizontal ou diagonal. Exemplos de verbos irregulares: dizer, trazer, haver, caber, querer, fazer, estar, ter, poder, pôr, ver, vir, dar, ser, ir

39. História passo a passo.

OBSERVE O EXEMPLO E COMPLETE O QUADRO COM ELEMENTOS PARA UMA HISTÓRIA. (EM DUPLA)

Quem? “A”	Era uma vez..
Como era “A”?	Que era ...

O que "A" fazia sempre?	E sempre...
O que "A" gostava de fazer?	Ele adorava...
Quem "A" encontrou um dia? "B"	Um dia...
Como "B" era?	
Que problema "B" tinha?	
Como "B" pediu a "A" para que ele o ajudasse?	– Será que...
Por que "A" não quis/pôde logo ajudá-lo?	
Por que "A" mudou de ideia?	Mas...
Aonde ele/eles foram?	Então eles resolveram ir...
Que fracasso(s) ele(s) teve no início?	Mas...
Como ele(s) conseguiu resolver os problemas?	Mesmo assim
Como eles, "A" e "B" passaram a viver depois de tudo?	

40. **Use os elementos do quadro e conte uma história para os colegas.**

____ (Título)

____

____

____

____

____

____

____

41. Poesia animal.

DESCUBRA OS ANIMAIS QUE ESTÃO FALTANDO. O PRIMEIRO QUE COMPLETAR FAZ A LEITURA.

Eternamente infante e elegante – ______________________________
A sapa da casa ao léu – A casa da sapa é o céu
O buuuu! O urro! – A inteligência bucólica do ______________________________
O tatu sem sapato tem calo, cava o chão; tem que cavá-lo.
Mastiga a pedra, faz isso, fá-lo; diz isso, di-lo
Faz creck, faz crock, come a terra, ______________________________
Dá corda no preá! Dá linha!
O galo acorda tudo, acorda primeiro a ______________________________
Pois é, a galinha paga o ______________________________
A galinha fica fula
Então ela bota ovo, bota a boca no mundo, e começa a labuta
E quem é que se desentoca e sai aos pulos,
Com tanta fome que sai pelos furos?
É dona minhoca, galinha perto, sempre em apuros
Ar puro?
A família come a galinha
O galo bica a galinha
E a galinha come o quê, Jeca???
A galinha come “miiu” i ______________________________
E a minhoca come o quê?
Ar puro. A minhoca tá sempre em “arpuro”.

Futuro do Subjuntivo – formação regular		
Cobrar	Oferecer	Seguir
Cobrar	Oferecer	Seguir
Cobrarmos	Oferecermos	Seguirmos
Cobrarem	Oferecerem	Seguirem

CONJUGUE TAMBÉM: levantar/conhecer/cobrir

Formação irregular – também derivada do pretérito perfeito		
Disser	Trouxer	Souber
Disser	Trouxer	Souber
Dissermos	Trouxermos	Soubermos
Disserem	Trouxerem	Souberem

42. De acordo com esse modelo, são conjugados todos os verbos irregulares a seguir.

Querer – ______

Haver – ______

Caber – ______

Fazer – ______

Estar – ______

Ser – ______

Ir – ______

Ter – ______

Poder – ______

Pôr – ______

Ver – ______

Vir – ______

Dar – ______

43. Complete de maneira adequada.

1. Ontem não houve aula. Se não ______ aula amanhã, iremos à praia.
2. Na semana passada não fizemos os exercícios. Se ______ entenderemos melhor a lição.
3. Nossos amigos não vieram ontem. Se ______ , tomaremos uma cervejinha.
4. Não tivemos tempo de sair. Assim que ______, faremos compras.
5. Vocês não viram o Paulo na floresta? Se ______ digam-lhe que preciso falar urgente com ele.
6. Não soubemos onde encontrar cerveja importada. Se vocês ______ , avisem-nos, por favor.
7. Não pudemos lançar as notas ainda. Assim que ______ , entraremos em contato com vocês.
8. Quando vocês ______ (trazer) os livros, não se esqueçam de trazer também um bom romance.
9. Se vocês ______ (querer), venham jantar conosco.
10. Se ele não ______ (dizer) o que pretende, não poderei ajudá-lo.
11. Se nós ______ (ter) sorte, ainda chegaremos a tempo.
12. Se ______ (dar) certo, repetiremos esse esquema.
13. Assim que eles ______ (fazer) o recibo, pagaremos a conta.
14. Se vocês ______ (preferir), venham mais cedo.
15. Até amanhã, se Deus ______ .

44. Jogo de conversação.

O jogo deve ter um número ímpar de participantes. O primeiro inicia com uma declaração, por exemplo, "Amanhã vamos à praia." O participante seguinte deve questionar com a expressão "E se...?" O próximo deve responder; o seguinte deve questionar, e assim sucessivamente, de forma que haja uma sequência lógica. (Em trio)

EXEMPLO:

Participante 1: – Hoje vamos à praia!
Participante 2: – E se não tivermos sorte e chover?
Participante 3: – Então, levaremos um guarda-chuva.
Participante 1: – E se não conseguirmos abrir o guarda-chuva?
Participante 2: – Pegaremos um táxi.
Participante 3: – E se os táxis estiverem lotados?
...

45. Alternativa, com o uso da expressão "tomara que..."

EXEMPLO:

Participante 1: – Hoje vamos à praia!
Participante 2: – E se não tivermos sorte e chover?
Participante 3: – **Tomara que não chova**, mas se chover, levaremos o guarda-chuva.
Participante 1: – E se não conseguirmos abrir o guarda-chuva?
Participante 2: – Tomara que consigamos; mas, se não conseguirmos, pegaremos um táxi.
Participante 3: – E se os táxis estiverem lotados?
...

46. Que adjetivos podemos usar para as personagens no quadro a seguir?

O adjetivo pode ser repetido, desde que seja adequado. (Vence o participante que usar dois adjetivos para cada item.)

interesseiro / injusto / mentiroso / valente / vaidoso / baiano / tímido / belo / jovem / humilde / profissional / gaúcho / carioca / "gata" / mineiro / trabalhador / orgulhoso / comilão / fofoqueiro / severo / mandão / paulistano / vingativo riquíssimo / apaixonado / rude / injusto / agressivo / camponês / "sarado"

JULIANA	MACHADO	SEU JANUÁRIO	VALENTE	SEVERO	RITINHA
____________	____________	____________	____________	____________	____________
____________	____________	____________	____________	____________	____________
____________	____________	____________	____________	____________	____________
____________	____________	____________	____________	____________	____________
____________	____________	____________	____________	____________	____________

47. Quebra-cabeça (postal) ou cartões de vocabulário.

48. Música.

AI, EU ENTREI NA RODA

Refrão
Ai, eu entrei na roda
Ai, eu não sei como se dança
Ai, eu entrei na "rodadança"
Ai, eu não sei dançar

Sete e sete são quatorze, com mais sete, vinte e um
Tenho sete namorados só posso casar com um

Namorei um garotinho do colégio militar
O diabo do garoto, só queria me beijar

Todo mundo se admira da macaca fazer renda
Eu já vi uma perua ser caixeira de uma venda

Lá vai uma, lá vão duas, lá vão três pela terceira
Lá se vai o meu benzinho, no vapor da cachoeira

Essa noite tive um sonho que chupava picolé
Acordei de madrugada, chupando dedo do pé

Bibliografia

BETTELHEIM, Bruno. *A psicanálise dos contos de fadas*. 16. ed. Rio de Janeiro: Paz e Terra, 2002.

BUENO, Eduardo. *A viagem do descobrimento*: um olhar sobre a expedição de Cabral. Rio de Janeiro: Objetiva, 1998.

______. *Náufragos, traficantes e degredados*: as primeiras expedições ao Brasil, 1500-1531. Rio de Janeiro: Objetiva, 1998.

Contos de fadas de Perrault, Grimm, Andersen & outros. Apresentação de Ana Maria Machado. Tradução de Maria Luiza X. de A. Borges. Rio de Janeiro: Zahar, 2010.

ESOPO. *Fábulas*. 2. ed. Tradução de Pietro Nassetti. Rio de Janeiro: Martin Claret, 2004.

______. *Fábulas completas*. 2. ed. Tradução direta do grego de Neide Smolka. São Paulo: Moderna, 2004.

ORTÊNCIO, Waldomiro Bariani. *Cartilha do folclore brasileiro.* Brasília: Thesaurus Editora, 2013.

RODARI, Gianni. *Histórias para brincar.* São Paulo: Editora 34, 2012.

ROMERO, Sílvio. *Contos populares do Brasil*. São Paulo: Martins Fontes, 2007.

SANADA, Yuri; SANADA, Vera. *Histórias e lendas do descobrimento*. Rio de Janeiro: Ediouro, 1999. 224 p.

Créditos

MÓDULO 1

1. Chapeuzinho Vermelho
   Fontes: Baseado e adaptado dos textos “Chapeuzinho Vermelho”, de Charles Perrault (p. 77) e de Jacob e Wilhelm Grimm (p. 145), em *Contos de Fadas de Perrault, Grimm, Andersen & Outros*. *A Psicanálise dos Contos de Fadas*, de Bruno Bettelheim.
2. Pesquisa sobre Animais
   Fonte: Baseado em informações dos sites:
   A. www.infoescola.com/ecologia/animais-em-extinção-no-brasil-2014
   B. www.guiadoscuriosos.com.br/categorias/2074/1/bichos-brasileiros
   C. animaisemextincao.com/lista-de-animais-em-extincao-brasileiros
   D. Música: A canoa virou (Domínio público)

MÓDULO 2

1. Música: O sapo não lava o pé (Domínio público)

MÓDULO 3

1. O sapo simpático e a sapa de sapato alto
   Fontes: Baseado e adaptado dos textos:
   A. “As rãs (À procura de água)”, de Esopo, em *Fábulas* (p. 48).
   B. “As rãs (no lago)”, de Esopo, em *Fábulas Completas* (p. 4).
2. Música: Cai, cai, balão! (Domínio público)

MÓDULO 4

1. Boca do forno (parlenda de tradição oral, usada em brincadeira de rua de domínio público).
2. O gato de botas
   Fonte: Baseado e adaptado de Irmãos Grimm, der gestiefelte Kater (www.grimmsstories.com).
3. Música: Escravos de Jó (parlenda de tradição oral, usada em brincadeira de rua de domínio público).

MÓDULO 5

1. O sapo rei e a princesa que deixou a peteca cair (versão adaptada de “Der Froschkönig” de Jacob e Wilhelm Grimm. Bibliografia consultada: *A Psicanálise dos Contos de Fadas*, de Bruno Bettelheim (p. 326 - “O rei sapo”).
2. Cinderela – leitura dramatizada
   Fontes de consulta e pesquisa: Baseado e adaptado dos textos:
   A. “Cinderela”, de Charles Perrault (p. 19-31), *Contos de fadas de Perrault, Grimm, Andersen & Outros*.

B. Bibliografia consultada: *A Psicanálise dos Contos de Fadas*, de Bruno Bettelheim.

3. Polegarzinho

Fonte: Baseado e adaptado do texto "O Pequeno Polegar", de Charles Perrault (p. 60-76), em *Contos de Fadas de Perrault, Grimm, Andersen & outros*.

4. Fui no Tororó (Domínio público)

Fonte: *Cartilha do Folclore Brasileiro*, de Bariani Ortêncio (p. 75).

MÓDULO 6

1. Festa no céu

Fontes: Baseado e adaptado dos textos:

A. "O Cágado e a Festa no Céu", *Contos Populares do Brasil*, de Sílvio Romero (p. 150).

B. "O Urubu e o Sapo", *Contos populares do Brasil*, de Sílvio Romero (p. 197).

2. Os ladrões do tesouro do rei

Fonte: Baseado no conto popular "O Velho e o Tesouro do Rei", em *Contos Populares do Brasil*, de Sílvio Romero.

3. Música: Se essa rua fosse minha (Domínio público)

Fonte: *Cartilha do Folclore Brasileiro*, de Bariani Ortêncio (p. 71).

MÓDULO 7

1. O Descobrimento do Brasil e os Índios Brasileiros

Fontes:

A. "Náufragos, Traficantes e Degredados" e "A Viagem do Descobrimento", de Eduardo Bueno.

B. "Histórias e Lendas do Descobrimento", de Yuri e Vera Sanada.

2. Os navegadores portugueses (parte 1)

Fonte: Histórias e Lendas do Descobrimento, de Yuri e Vera Sanada (p. 60-62).

3. Russos lançam primeiro ser vivo ao espaço

Fonte: http://www.bbc.co.uk/portuguese/ciencia/021028_caomtc.shtml

4. Receita de feijoada

Fonte: http://gshow.globo.com/receitas/cozinhas/brasileira/feijoada/2

5. O rio São Francisco

Fontes:

A. http://www.suapesquisa.com/geografia/bacia_rio_sao_francisco.htm

B. http://www.brasilescola.com/brasil/rio-sao-francisco.htm

C. http://www.infoescola.com/geografia/rio-sao-francisco/

6. Música: Peixinhos do mar (Domínio público)

MÓDULO 8

1. A menina que engolia sapos e o médico pirado

Fonte: Baseado e adaptado do texto de Molière – "Médico à força".

2. Bumba-meu-boi

Fonte: Baseado e adaptado do texto:

"Bumba-Meu-Boi", *Cartilha do Folclore Brasileiro*, de Waldomiro Bariani Ortêncio (p. 96-98).

3. Tem saci no face

Fonte: Baseado e adaptado do texto:

"Entes Fantásticos, Entes Sobrenaturais, Mitos, Fábulas e Lendas, *Cartilha do Folclore Brasileiro*, de Waldomiro Bariani Ortêncio (p. 186-194).

4. Descrições de algumas personagens do folclore brasileiro.

Fonte: "Entes Fantásticos, Entes Sobrenaturais, Mitos, Fábulas e Lendas", *Cartilha do Folclore Brasileiro*, de Waldomiro Bariani Ortêncio (p. 186-194).

5. Adivinhas

Fontes de pesquisa:

A. http://www.suapesquisa.com/folclorebrasileiro/adivinhas.htm

B. http://www.brasilcultura.com.br/antropologia/adivinhas-folclore/

C. Livro: Cartilha do Folclore Brasileiro, Bariani Ortencio, Brasília: Thesaurus Editora, 2013, pág. 45-46).

6. A lebre, o sapo e a tartaruga

Fontes: Baseado e adaptado dos textos:

A. "A Tartaruga e a Lebre", de Esopo (p. 166-167) em Fábulas Esopo – texto integral, 2ª edição – tradução de Pietro Nassetti – Rio de Janeiro: Martin Claret, 2004.

B. "A Tartaruga e a Lebre", de Esopo (p. 189), em Fábulas Completas – tradução direta do grego – Neide Smolka, 2ª edição, São Paulo: Moderna, 2004.

7. Recriando fábula O cão e o lobo/Esopo

Fontes: Baseado e adaptado dos textos:

A. "O Lobo e o Cão", de Esopo (p. 118) em Fábulas Esopo – texto integral, 2ª edição – tradução de Pietro Nassetti – Rio de Janeiro: Martin Claret, 2004.

B. "O Lobo e o Cão", de Esopo (p. 128), em Fábulas Completas – tradução direta do grego – Neide Smolka, 2ª edição, São Paulo: Moderna, 2004.

8. O afoito curumim – o herói mirim

Fontes de pesquisa:

A. Krahô e kayabi – Rituais Indígenas, portal ministério da justiça http://portal.mj.gov.br/data/Pages/MJA63EBC0EITEMID7D5503CEC35947968A2A63C846E4C75APTBRNN.htm

B. Rituais Indígenas e Cherokees, miniweb cantinho infantil. http://www.miniweb.com.br/cantinho/infantil/38/Estorias_miniweb/rito_passagem.html

C. Significado.origem.nom.br – Kaluanã (grande guerreiro) http://www.significado.origem.nom.br/nomes_k/

9. Ai, Eu Entrei na Roda

A. http://www.cirandandobrasil.com.br/?page_id=938 (domínio público)

B. https://pt.scribd.com/doc/45938369/Cantigas-de-Roda

C. http://www.beakauffmann.com/mpb_e/eu-entrei-na-roda.html

2025/2

Figuras para recortar

CARTÕES DO MÓDULO 1

LÁPIS	LOBO	MANTEIGA	BUMBUM
LIVRO	COBRA	QUEIJO	ORELHAS
CADERNO	JACARÉ	OVO	OLHOS
CANETA	ONÇA	PÃO	NARIZ

CARTÕES DO MÓDULO 2 **Exercício 1: Ordene sua história.**

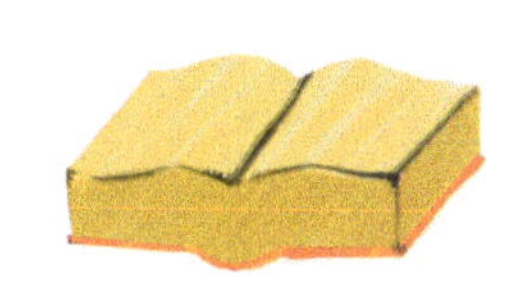

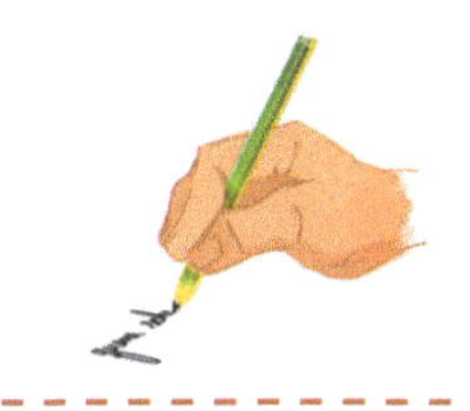

Leo troca de roupa, toma uma xícara de chocolate e come pão com queijo.

Então, ele vai para a escola de ônibus escolar. A aula começa às 7 horas.

Depois do almoço, ele joga bola com seus amigos.

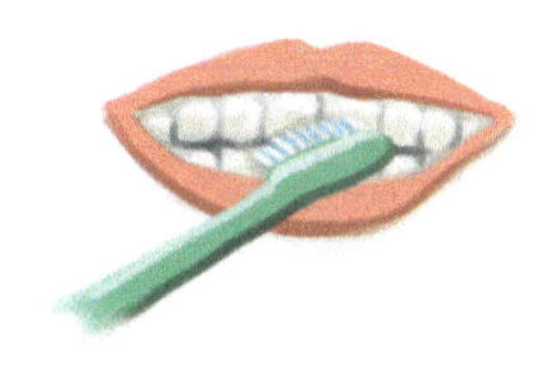

Leonardo tem 10 anos, mora em Copacabana e estuda em Botafogo, na Escola Princesa Isabel. Ele acorda todo dia às 6 horas.

Às 12h30min, ele volta para casa e almoça.

Na hora do recreio, Leo bebe uma coca e come um sanduíche de presunto.

Depois, ele vai ao banheiro, escova os dentes e lava o rosto.

Às 08h20min da noite, ele vai até a geladeira, bebe um copo de leite e vai dormir.

Às 3 horas da tarde, ele faz o dever de casa.

Ele vai à padaria e compra pão, leite e manteiga.

À noite, Leonardo lê um livro interessante sobre piratas.

Às 10h15min, ele tem aula de matemática.

CARTÕES DO MÓDULO 2

SURFAR

NADAR

CORRER

JOGAR BOLA

VERDE

AZUL

VERMELHO

AMARELO

DEZESSEIS

DEZOITO

QUATORZE

QUINZE

SEGUNDA-FEIRA

TERÇA-FEIRA

QUARTA-FEIRA

QUINTA-FEIRA

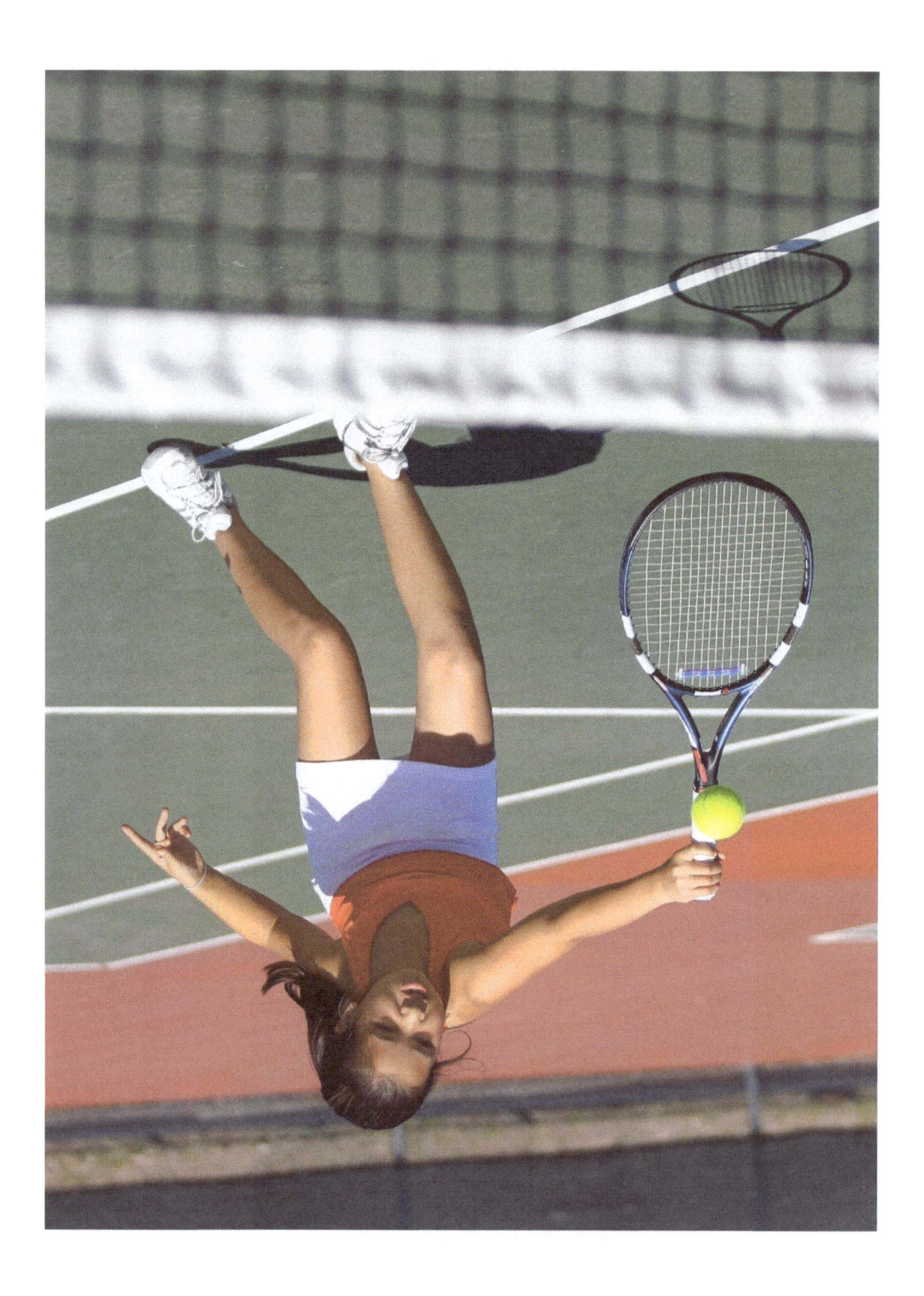

ROUPAS PARA RECORTAR DO MÓDULO 3

Vestido

Pasta

Blusa

Terno

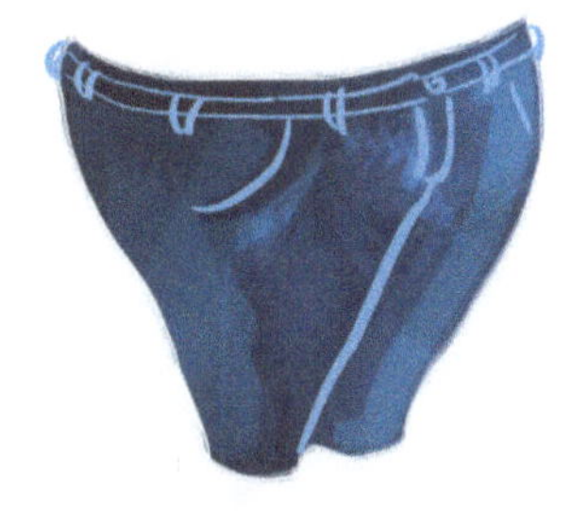

Calça jeans

Chinelo de dedo

Short

Sapato de homem

Camiseta

Bermudão

Sapato

Top

Óculos de leitura

Óculos de sol

Sapato alto

Jaqueta

ROUPAS PARA RECORTAR DO MÓDULO 3

Saia

Bermuda

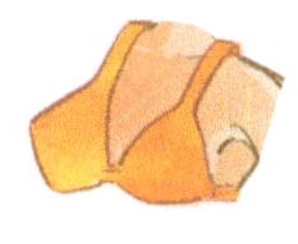

Biquíni

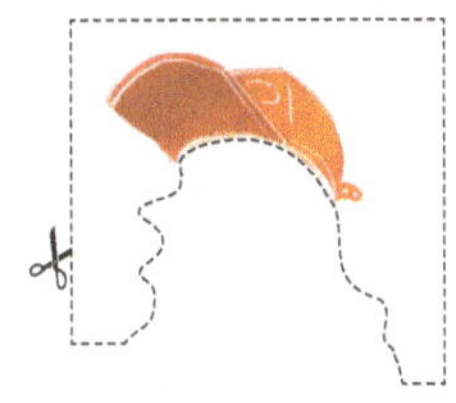

Boné

Pulôver

Canga

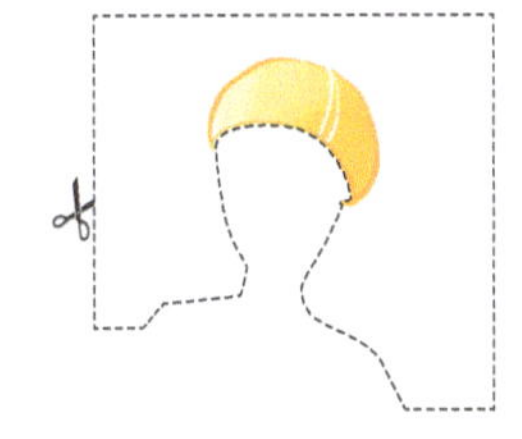

Touca

Macaquinho

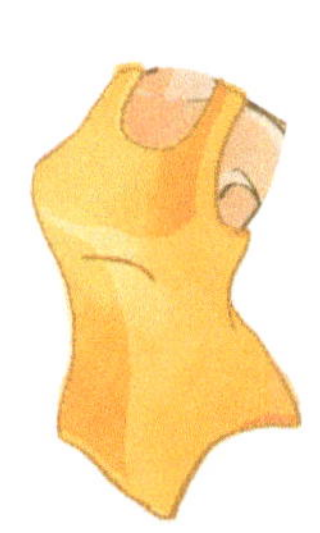

Maiô

Roupa esportiva

Camisola

Pijama

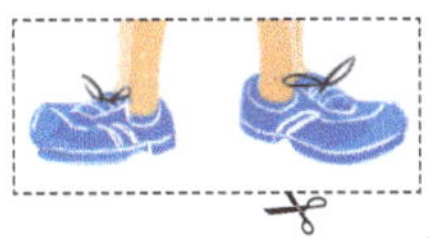

Tênis

CARTÕES DO MÓDULO 3

CHUTAR	AGARRAR	PASSAR A BOLA	FAZER O GOL
SUCURI	PREGUIÇA	LOBO–GUARÁ	TAMANDUÁ
SAIA	VESTIDO	SAPATO	CANGA
CAMINHO	POÇO	SOL	PERNAS

CARTÕES DO MÓDULO 4

FOGUEIRA	GALHO	CHURRASQUEIRA	ÁRVORE
AVIÃO	IATE	HELICÓPTERO	TREM
CINEMA	LIVRARIA	AEROPORTO	DENTISTA
LÂMPADA	CARNAVAL	DINHEIRO	CERVEJA

CARTÕES DO MÓDULO 5

OCA

ALDEIA

CACIQUE

ARARA

BOSQUE

PETECA

POÇO

COROA

GARFO

FACA

COLHER

PRATO

COSTUREIRA

COZINHEIRO

VELA

OGRO

CARTÕES DO MÓDULO 6

SAXOFONE	FESTA	PRISÃO	CANIVETE
BATERIA	ASAS	LADRÃO	URUBU
BANDA	AVIÃO	LAGOA	NUVEM
VIOLÃO	BARRIL	CHAPÉU	CARTEIRA

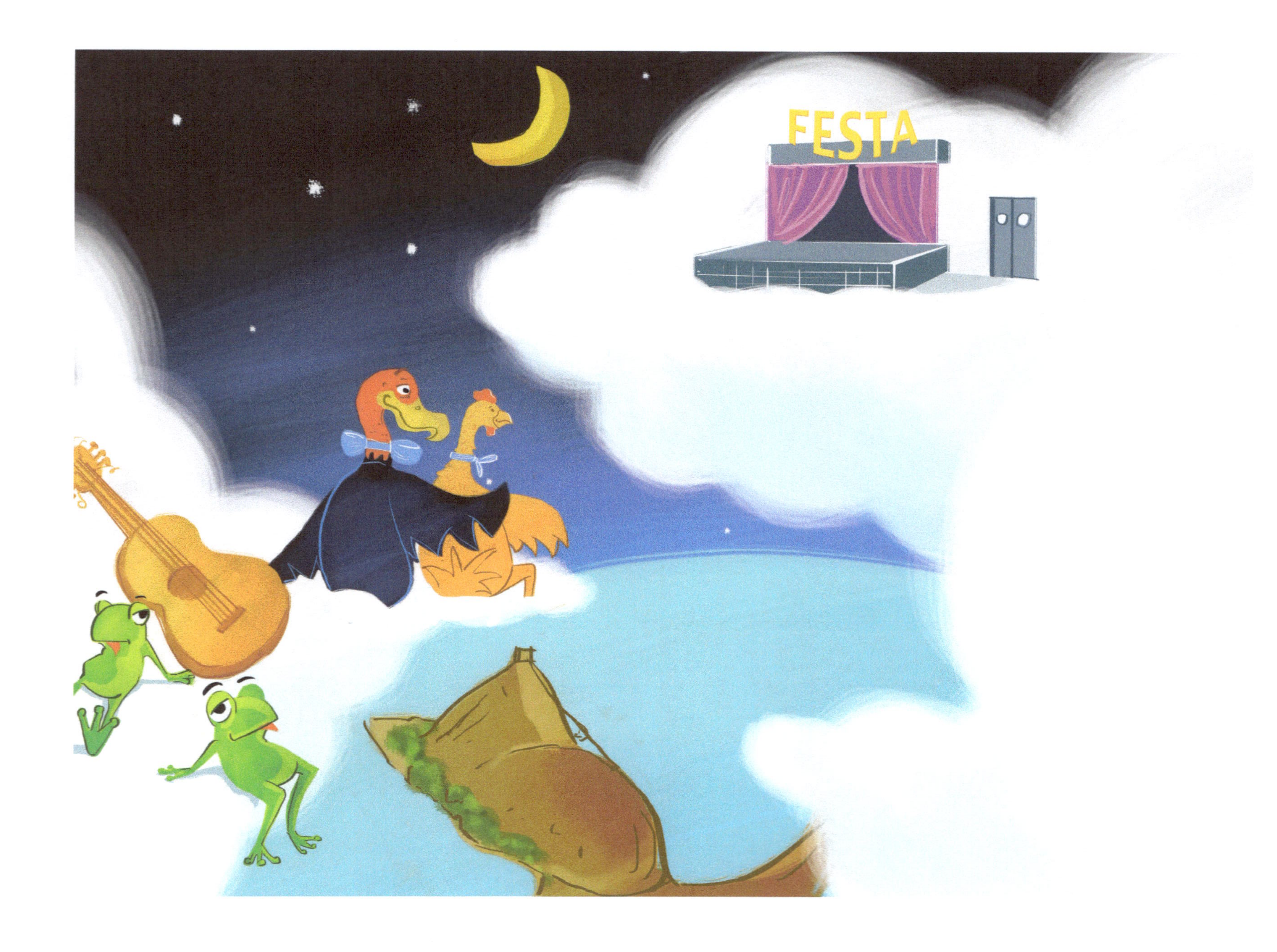
FESTA

CARTÕES DO MÓDULO 7

CARAVELA	ILHA	BARRIL	MACHADO
MONSTRO MARINHO	ONDA	COLAR	LAIKA COM SPUTNIK
RIO	GOLFINHO	CAÇADOR	CHUVA
NAU	FEIJOADA	ÍNDIO	PORTUGUÊS BIGODUDO

CARTÕES DO MÓDULO 8

PANELÃO	BURRICO	PLANTAS	DOR DE CABEÇA
CHURRASCO	ARCO E FLECHA	MÉDICO	RIO
CACHIMBO	TARTARUGA	GAÚCHO	NUVEM
PORTEIRA	MOTOCICLETA	DOR DE DENTE	INJEÇÃO